DI059908

Afin de vous informer de toutes ses publications, **marabout** édite des catalogues régulièrement mis à jour. Vous pouvez les obtenir gracieusement auprès de votre libraire habituel.

J. E. Klausnitzer

80 TESTS
DE LOGIQUE

Traduit de l'allemand par Laurent Muhleisen

LA LOGIQUE...

... est la faculté de penser et de connaître avec un esprit conséquent et méthodique.

Pour maîtriser cette faculté, il faut savoir: concevoir, juger et conclure.

Au sens de ce livre, s'entraîner à la logique veut dire: chercher, creuser, découvrir.

Il existe une quantité de livres traitant de l'entraînement à la pensée et à la logique; mais aucun ne tient vraiment compte du fait suivant: pour augmenter les capacités de la pensée, il est nécessaire de mettre en œuvre un certain nombre de conditions matérielles propices à son déroulement logique.

Cela peut paraître paradoxal, mais la logique ne peut se développer que si elle rajeunit et élargit la conscience, par le biais du jeu, de l'imagination, de la connaissance et de l'acquisition de nouvelles techniques de pensée.

Il faut se débarrasser de ce parti pris réducteur: la pensée n'est pas quelque chose de linéaire. Il faut apprendre à penser de manière créatrice.

Grâce à ce livre
— vous apprendrez à vous connaître;
— et, en l'étudiant, vous apprendrez à vous dépasser.

Sommaire

INTRODUCTION

Aphorismes 1

En 1936,
Roger Salengro
disait dans un discours :
«L'ordre, nous l'assumerons : en
amenant la classe ouvrière à
comprendre que son devoir et son
intérêt lui commandent d'entendre
nos appels, et de nous éviter d'avoir
recours à des moyens de contrainte.
Non, le Front Populaire ne sera pas
l'Anarchie!»
Des propos que la classe ouvrière
aura tôt fait de vérifier!

Le plus intelligent
abandonne — c'est
pourquoi ne
gouvernement que
les sots.

Qui se ressemble s'assemble — et vive le compromis paresseux

Il faut céder devant le peuple si on ne veut pas lui ressembler — le dissident face à la dictature du prolétariat.

Chaque chose en son temps — bonne excuse de celui qui ne fait rien.

Interviews

Question: «Que signifie pour vous le mot logique?»

1. Réponse:
— *Ben..., j'sais pas...*

En lisant ce livre vous le saurez;

2. Réponse:
— *Je n'ai pas fait d'études dans ce domaine... Je ne peux pas vous répondre.*

La logique, un privilège académique?

3. Réponse:
— *Vous avez un micro, mais c'est magnifique, ça! Ça ne passera pas à la télé, si?*

...?!

4. Réponse:
— *... non... je ne peux pas répondre, je ne sais pas...*

Une réponse presque (stéréo)typée.

5. Réponse:
— *C'est le concept de... ben oui quoi, logique, ça veut dire logique. Je ne peux pas vous expliquer cela autrement, c'est pas facile... Je veux dire... Il y a beaucoup de choses illogiques, et il y a beaucoup de choses logiques...*

C'est logique!

6. Réponse:
— *Hm, ce qu'est la logique, de nos jours, hein? Vous avez une caméra, non? Pourquoi ça vous intéresse? Vous voulez donc savoir ce que M. Tout-le-Monde pense de ça, une définition? Je pourrais vous donner des exemples, mais ça ne vous intéressera pas... désolé!...*

Question à la hauteur du niveau de compréhension de M. Tout-le-Monde, de nos jours.

12

*Nous devons
prendre garde
à notre aveuglement
sélectif!*

7. Réponse:
— *Je n'ai pas le temps pour ça, ça serait trop long...*

Pas le temps de penser?

8. Réponse:
— *Quelle question! C'est pourtant simple: logique!...*

Sans commentaires.

9. Réponse:
— *... un moment... Ce n'est pas compliqué... ce sont les mots... dans ma tête, c'est clair, mais pour l'exprimer... c'est quand une chose peut se déduire d'une autre, qu'on peut reconnaître qu'elles sont en rapport l'une avec l'autre; et qu'on a le sentiment que tout colle parfaitement bien ensemble.*

Encore un peu confus, mais déjà mieux vu.

10. Réponse:
— *... Évidemment, je vois bien ce que vous voulez dire, mais comment l'expliquer!... c'est quelque chose qui va de soi, de conséquent...*

Justement, ce qui va de soi est conséquent!

11. Réponse:
— *... Hm, comment vous expliquer cela?... La logique est la capacité de pénétrer certaines choses. Donc, la compréhension. Non, ce n'est peut-être pas le terme exact. Quand je considère une chose, soit je peux la trouver logique, soit illogique. Voir de façon logique signifie que je réfléchis à la question, que j'essaie de sonder le problème. Et voir de façon illogique, c'est quand je réponds à une question de manière émotionnelle, d'après des impressions subjectives. Ça ira?...*

A peu près.

12. Réponse:
— ... *Bien... une succession d'événements logique: quand quelque chose est bien construit.*

Et qu'est-ce qui est «bien» construit?

13. Réponse:
— *Ça nous mènerait loin... En gros, la logique, c'est quand on a un point de vue raisonnable.*

La logique, une question de point de vue?

14. Réponse:
— ... *Je mettrais cela, là, immédiatement, en rapport avec la pensée. Mais comment le définir?... pensée logique, pensée illogique... la logique, c'est la justesse. Une pensée rapide... non, on ne peut pas dire cela non plus.*

Bonne piste...

15. Réponse:
— *Logique? Un concept très clair, mais difficile à décrire. La plupart du temps, on pense logiquement lorsqu'on a un but... mais définir le mot, ça m'est difficile, là, sur le coup. Quand on ne pense pas logiquement, on est presque sûr de ne pas s'en sortir dans la vie...*

La réussite par la logique?

16. Réponse:
— *Une pensée conséquente et bien réfléchie...*

Et la pensée non réfléchie?

17. Réponse:
— *Quand je réfléchis mûrement et que j'en tire certaines conclusions...*

On se rapproche déjà plus de la question.

*Si les portes
de la perception
étaient nettoyées,
tout
apparaîtrait à l'homme dans
sa vraie dimension: infinie*

W. BLAKE

18. Réponse:
— *Logique? Pour moi cela veut dire penser clairement et tirer des conclusions claires...*

La première réponse utilisable.

19. Réponse:
— *Logique?... Ha, ha... logique? Je donnerais cette définition-là: c'est poursuivre une pensée de telle manière qu'on puisse expliquer l'une à partir de l'autre, qu'on puisse toujours se référer à celle qui précède...*

Où trouver le début, et où la fin?

20. Réponse:
— *... je dirais, esprit clair, une pensée claire, dirais-je...*

Oui?...

21. Réponse:
— *... je dirais une pensée systématique...*

D'un côté, c'est vrai.

22. Réponse:
— *... une pensée simple, rationnelle, sans émotions ni préjugés.*

Voilà pour l'autre côté.

23. Réponse:
— *Qui est-ce qui vous demande ça? La logique, c'est penser de manière conséquente...*

Penser de manière conséquente, c'est bien ce dont chacun de nous a besoin!

*Depuis toujours
le monde souffre,
parce que tous les hommes
veulent faire le bien,
mais rares sont ceux qui
reconnaissent le vrai.*

Agitation 1

Soit:

a = u
u = a
e = i
i = e
r = s
s = r
ou = oi
oi = ou

Lisez le texte de la page suivante.

Il est divisé en 10 parties. Notez le temps dont vous avez besoin pour déchiffrer chaque partie. Vous contrôlerez ainsi si vous pouvez améliorer votre temps de lecture, et de combien.

Dans *Le Monde* du 22 novembre, on pouvait lire l'article suivant…

		Temps
1.	Uvic an rial joiiar clurré pusme	☐
2.	lir qausunti mielliasr da mondi,	☐
3.	lu psérinci di l'éqaepi di Fsunci	☐
4.	in fenuli di lu coipi Duver piat,	☐
5.	u pseose, raspsindsi. Pois pusvines à ci	☐
6.	rtudi upsèr uvous butta Ersuël,	☐
7.	l'Uartsulei it lu Yoigorluvei, illi u,	☐
8.	cistir, bénéfeceé d'an coip di poici	☐
9.	uvic an tesugi ua rost	☐
10.	qae lae u pismer di gugnis.	☐

Fin de l'agitation
Texte original page 144.

LA LOGIQUE

Aphorismes 2

Il n'y a pas de fumée sans feu — c'est ainsi que se propagent les rumeurs.

S'enrichir n'est pas un art, mais rester simple l'est — auto-défense du raté.

L'habit le plus riche est souvent cousu d'un fil appelé souci — espoir de l'envieux.

Qui observe trop les étoiles risque de toucher sur le nez — difficulté des masses à vivre avec le génie.

Qui monte haut, tombe bas — consolation du perdant.

La logique : information

Penser logiquement signifie penser avec justesse, en uti-
lisant un mode de connaissance conséquent et méthodique.

La logique est l'apprentissage de l'identité et de sa
négation par la différence.

La logique : quelques réflexions

La logique est la faculté de penser avec justesse

La logique est la science de la connaissance humaine :
elle est soumise à des règles précises.

Si, dans cet esprit, on rapproche connaissance et pensée, on arrive à l'idée générale suivante : on ne peut
penser logiquement que si l'on s'en tient à ces règles.
On pense illogiquement quand on va à leur encontre.

La science de la logique veut montrer quelles sont les
règles à respecter pour penser avec justesse.

Quelles sont ces règles ? Qui les édicte ? On répondra
à la première de ces questions dans ce livre.

Discutons, pour commencer, la deuxième. La question du développement universel et individuel du savoir
humain fait l'objet d'un grand débat. L'histoire de ce
développement se caractérise par des processus de
conditionnement qui s'étalent sur de nombreuses
années, durant lesquelles l'être humain apprend d'abord
à maîtriser sa langue, puis sa pensée. Le langage est
formé d'un grand nombre de mécanismes acquis par
l'homme tout au long de son existence. On pourrait dire
qu'il est la somme d'un certain nombre de mouvements
spécifiques de la glotte, liés à des stimuli précis. La
pensée elle aussi pourrait être, sous tous ses aspects, une
série de réflexes conditionnés. Il suffit qu'on la consi-

dère comme du langage qui a lieu derrière des lèvres fermées; dès lors, on ne peut plus douter de cette idée. Penser, un acte mécanique? La logique, un ensemble de connexions? L'environnement social est-il la seule source de ces règles, et, de manière purement utilitaire, ne ferait-il que dicter un certain nombre de techniques de survie?

La science de la logique se propose de présenter ces règles et de réfléchir à leur sujet; elle ne s'occupe pas de leur origine. Cette question est du domaine de la philosophie. Dans la logique, on montre clairement suivant quelles règles les contenus de la pensée entrent en relation les uns avec les autres lorsqu'on pense. Et on pense logiquement lorsqu'on maîtrise totalement ces règles.

La logique a un grand nombre de définitions qui peuvent s'éloigner les unes des autres. Pour chaque science, c'est vrai, le mot «logique» veut dire autre chose. Pour la mathématique, par exemple, c'est un calcul de probabilité, alors que pour la psychologie, c'est un calcul du comportement.

La logique est l'apprentissage de l'identité

Que veut dire le mot «identité»? Tu es toi. Je suis moi. On ne peut être identique qu'à soi-même. Tu n'es pas moi. Nous nous ressemblons, et dans le meilleur des cas nous sommes égaux, mais pas identiques. L'identité est le début de la logique. Adam. Nous vivons seuls et séparés.

Que veut dire le mot différence? L'identité seule est stérile. Elle a besoin d'un partenaire. Ève. L'identité ne peut fructifier qu'en faisant équipe avec la différence. Tout ce qui n'est pas moi est différent de moi. Il y a des choses qui sont différentes de moi.

Nous nous appartenons. Tu as besoin de moi pour t'identifier. J'ai besoin de toi pour m'identifier. Nous nous suffisons. Le tiers exclu dirait: c'est dans l'identique et le différent que tout se crée. Seul entre moi et vous, il n'y a pas de compromis possible.

EXPOSÉ

Psychologisme
(d'après *Laing*)

Seul le savoir conduit à l'évidence. C'est pourquoi lui seul peut être évident. La psychologie structure le Logos (la Raison) du savoir. C'est pourquoi la psychologie est la science des sciences.

Les …ismes sont des termes empoisonnés. La philosophie et la logique doivent sans cesse prendre garde de ne pas céder à la tentation du psychologisme.

Si tu ne me reconnais pas, je ne pourrai pas me connaître. Si tu me rejettes, me renies, je ne pourrai pas être. Je ne suis qu'à la condition que tu sois aussi. Ne me renie pas. Étonne-toi de moi. Notre logique. Parlons-nous. Et dis-moi qui je suis. Et je dirai qui tu es. Ce n'est que lorsque nous nous connaîtrons que nous saurons que nous sommes et qui nous sommes.

Entraînement à la logique

Ceci n'est pas un manuel pratique de logique. Le terme «entraînement à la logique» ne veut pas dire non plus qu'après cette lecture, tout un chacun sera devenu un penseur hors pair.

En soi, la pensée n'a pas besoin d'entraînement. Penser est l'activité de l'esprit lorsque celui-ci est en pleine possession de ses moyens. La logique n'est pas autre chose que la fonction d'un paramètre matériel (le cerveau), dont se sert une entité immatérielle (l'esprit) pour se rendre visible et reconnaissable à nos yeux, en temps voulu.

On appelle pensée les productions de cette unité dynamique que constituent l'esprit, sa fonction et son siège matériel.

Penser est donc l'activité de l'esprit. Ce qui veut dire que quelque chose d'immatériel, donc d'illimité, doit être représenté par quelque chose de matériel, donc de limité. Les mauvaises façons de penser découlent directement de ce caractère limité. Les émotions, qui sont les expressions de ces limites matérielles, conduisent plutôt à la méconnaissance qu'à la connaissance. L'entraînement à la logique devrait donc d'abord être un dépassement de ces limites (et ses effets sur l'élargissement de la conscience ne devraient pas avoir grand-chose de commun avec ce qu'on entend généralement par «entraînement à la pensée» ou «entraînement à la créativité».)

Tout le monde est capable de penser. Mais lorsqu'on pense, on le fait avec plus ou moins de logique. Penser ne peut pas être plus illogique que l'esprit ne peut être malade. Quand la logique semble être invisible, ce n'est pas parce qu'elle est absente, c'est parce que quelque chose la rend impossible. La superficialité et les contingences de l'environnement quotidien.

L'entraînement à la logique signifie, dans ce livre, creuser. Il y a suffisamment de livres sur la logique ou sur l'entraînement de la pensée. Pourtant, aucun ne tient ouvertement compte du fait qu'il ne peut y avoir augmentation des capacités de la pensée que si l'on met en œuvre un certain nombre de conditions matérielles propices à son déroulement logique.

Mise en œuvre de conditions propices signifie: se débarrasser de la contrainte de la causalité; se débarrasser des préjugés de la «plausibilité». Ouvrir les yeux, creuser et s'étonner: reconnaître et admettre que certaines choses peuvent exister sans correspondre forcément aux exigences de nos habitudes de pensée «causale».

L'étonnement

La raison calculatrice s'est toujours essayée à la dictature, à l'autocratie, moyens par lesquels elle tente de saisir la réalité dans son expression la plus glacée. Il nous faut inverser la vapeur et renoncer à ce qui est trop réel, qui n'admet et ne reconnaît que ce qui est calculable.

L'intellect et la raison prennent trop facilement pour vérité et réalité ce qui est en apparence, immédiat (quoique toujours dû au hasard), et transforment cela en sentences et en règles indiscutables. Au bout du compte, une vision aussi bornée de la réalité apparente n'a rien de sérieux: c'est un voile qui recouvre trop superficiellement la raison.

L'entraînement à la logique est aussi un entraînement à une observation «anti-bornée» des choses. Pour retrouver sa liberté, il est nécessaire de relever toute les œillères qui favorisent l'enfermement et la limitation.

EXPOSÉ

... logique

anthropologique
archéologique
astrologique
étiologique
bactériologique
biologique
chronologique
dermatologique
ethnologique
étymologique
géologique
graphologique
gynécologique
histologique
idéologique
météorologique
minéralogique
morphologique
mythologique
écologique

ontologique
ornithologique
pathologique
parmacologique
phrénologique
philologique
physiologique
psychologique
sérologique
sinologique
sociologique
tautologique
technologique
téléologique
théologique
topologique
typologique
urologique
zoologique

... les connaissez-
vous tous?
En connaissez-vous
d'autres?

L'étonnement nous permettra de prendre nos distances par rapport à l'apparence de la réalité, et donnera le premier coup de pioche qui nous fera aller au fond des choses. En nous étonnant, nous parviendrons à dépasser nos propres limites. L'étonnement est indispensable pour une pensée logique.

Il n'y a pas de plus grande ennemie de la pensée que l'affirmation suivante : «Cela va de soi, voyons!»

La logique, en définitive...

... est la faculté de penser et de connaître de manière conséquente et méthodique.

Cette faculté a besoin des instruments suivants : les concepts, les jugements et les conclusions.

C'est pourquoi la logique permet d'apprendre

à concevoir
à juger
à tirer des conclusions

*Pour réussir
dans notre société,
il faut apprendre à rêver
des défaillances
des autres.*

EXPOSÉ

Logique de l'enthousiasme

L'appareil cognitif biologique et psychologique de l'homme a des effets sélectifs. D'une part, la sélection est nécessaire à la vie, mais d'autre part elle est un frein au plein épanouissement des expériences et de la connaissance, car elle limite la variété infinie des mondes intérieurs et extérieurs.

Laing décrit cette fonction comme une «soupape de réduction cérébrale», qui adapte les capacités de l'esprit à l'assimilation au milieu.

Les expériences, les points de vue, les convictions et les préjugés ferment cette soupape et avec elle toute possibilité d'un vécu et d'une connaissance riches.

La connaissance de soi, la philosophie, l'étonnement ouvrent cette soupape et avec elle la conscience de soi et du monde.

Dans un tel état d'enthousiasme, la fonction canalisatrice et réductrice de cette soupape cérébrale disparaît. Libre à l'esprit, dès lors, de ventiler ce qu'il veut, sans contraintes et en toute liberté.

EXPOSÉ

Logisme

Est logique ce qui obéit aux règles de la logique. De même que pour l'intelligence, une définition opérationnelle: est intelligent tout ce que les tests d'intelligence mesurent.

A est A

Forme la plus parfaite de la connaissance, et en même temps tautologie — toutefois, axiome absolument irréductible de la connaissance.

EXPOSÉ

Qui est normal?

La société chérit et traite bien ceux de ses membres qui sont normaux. Mais qu'entend-on par «normal»? Même si on se réfère à une sorte d'objectivité, en prenant une estimation statistique de la majorité, le «normal» (c'est-à-dire ce qui est représenté en majorité) n'est pas la même chose que la pensée logique. Le «normal» et la «majorité» sont des simulacres de la pensée, et résultent de l'oppression, de la négation, de la projection, de l'introspection et d'une quantité d'autres actions destructrices dirigées contre une expression logique de la pensée.

C'est pourquoi il est indispensable que chacun ait conscience de ses projections avant d'avoir recours à la logique.

Dès l'enfance, on est éduqué de telle sorte qu'on se perd soi-même en devant s'adapter, se socialiser, reprendre — sans avoir eu le temps de les peser — des préjugés, des opinions ou des comportements établis. Très tôt, l'enfant apprend à être absurde et normal.

Bien sûr, il n'y a pas de vie sans mort, et on ne vit que pour mourir un jour. Il faut passer par le purgatoire de la socialisation et en avoir fait l'expérience pour parvenir à s'en délivrer. Il ne faut donc pas renoncer à soi dans la socialisation puisque ce n'est pas vers elle qu'on tend, mais vers ce qu'elle rend possible: la libération. Combien d'êtres humains ont été tués ces dernières années par des individus normaux? Le pilote de bombardier est dans toute sa normalité une menace bien plus grande pour l'humanité que le schizophrène soigné en asile parce qu'il est persuadé d'être une bombe vivante.

En fait, nous transportons tous une bombe en nous. Mais comme nous ne pouvons pas la (sup)porter tout seul, nous la jetons à la tête des autres avec un maximum d'effet, pour nous persuader que nous nous en sommes débarrassés.

«Schiz» veut dire «fendu» et «phren» esprit, âme.

… et Jésus se voila la face, et s'en fut en pleurant…

CONCEVOIR

Aphorismes 3

L'écho ne renvoie que
ce qu'il entend —
une injustice en provoque
une autre et on récolte
deux injustices.

La stupidité et la
fierté sont faits
du même bois —
bouée de
sauvetage de
l'inconsistant.

Règle élémentaire
de l'ordre du monde : n'aie
jamais personne à tes
côtés qui puisse limiter
ta conscience.

Avec les centaines de
milliers de morts absurdes
par accident de la
circulation, on pourrait
sans problème constituer
une armée de libération
du peuple.

Les soi-disant psychothé-
rapeutes ont le plus fort
taux de suicides parmi
leurs patients.

Concevoir : information

Concevoir

Le concept se rapporte à trois actions :
                    Saisir - toucher - concevoir

Le concept est la caractéristique immuable selon laquelle chaque événement ou chaque objet doit être compris.

Il y a des concepts *concrets* et *abstraits* :
                    Concept concret : un stylo
                    Concept abstrait : un véhicule

Il y a des concepts *individuels* et *universels* :
                    Concept individuel : une automobile
                    Concept universel : un véhicule

Définir

Définir une chose veut dire l'expliquer, la commenter et établir son champ de signification. Cette chose est envisagée selon un concept qui détermine ce qu'il faut comprendre par elle et ce qu'il ne faut pas comprendre.
    Un concept est défini lorsque son aspect spécifique (son espèce) a trouvé sa place dans sa notion générale (son genre). À un niveau donné d'une pyramide des concepts, l'espèce signifie l'individualité (le concept individuel) et le genre signifie l'universalité qui la régit (concept universel).

Concevoir: quelques réflexions

Concevoir

Le concept est le point de départ de la logique. Dès qu'il apparaît, il est pour la logique tout ce qui est différent d'autre chose et qui peut être caractérisé dans sa différence même. La formation d'un concept est achevée lorsque les objets ou les événements sont caractérisés et appréhendés par l'esprit de manière constante.

Grâce à ces concepts, l'adulte — qui a terminé sa formation conceptuelle après un temps d'apprentissage plus ou moins long — dispose d'un inventaire de points de vue ordonnés, suivant lequel il peut classifier des phénomènes plus ou moins universels pouvant interférer les uns avec les autres. On ne conçoit le monde qu'à partir du moment où il est connu et ordonné.

À partir de ce moment, il peut y avoir connaissance et logique. La qualité de la logique dépendra de la minutie avec laquelle on aura classifié et différencié les choses.

Classifier est la capacité de (re)connaître l'universel, l'interférence, le non identique («non unique»).

Différencier est la capacité de reconnaître l'identique (l'unique), le différent et l'individuel.

La formation des concepts est pour l'homme pensant à la fois une bénédiction et une malédiction. D'un côté, il est vrai que grâce au concept, quelque chose gagne son identité, ce qui est une condition nécessaire à la pensée et à la connaissance. Mais d'un autre côté, ce qui est conçu tend à être statique. Il court le risque de perdre la dynamique de son caractère «non fixé dans l'esprit», à la recherche de son identité. Le monde est connu, compartimenté et étroitement ordonné de telle manière que même s'il devait y avoir un besoin urgent de modifier cet ordre conceptuel, on préférerait s'en tenir aux normes éprouvées et établies. Ceci correspond

EXPOSÉ

Logique de la folie

Dérangé : si vous déplacez une table, elle sera dérangée. La table, elle, ne change pas. Ce qui a changé, c'est le cadre spatio-temporel dans lequel la table avait été appréhendée jusque-là.

C'est dans le même sens que la table qu'on dit de quelqu'un qu'il est «dérangé».

La folie, c'est du rêve qui s'intensifie jusqu'à se réaliser et produire une autre dimension du réel. Dans le dérangement cérébral, ce qui est abstrait, inconcevable pour l'esprit devient concret, concevable. Certaines idées deviennent visibles, certaines pensées exprimables. La proximité avec certaines choses devient concrète, et même tangible.

Les gouttes de pluie tombent du ciel comme des perles. Tout être normal sait que les gouttes de pluie ne sont pas des perles, à moins d'un miracle. Le fou voit des perles, concrètement. Pour lui, les gouttes *sont* des perles. Il participe au miracle. Extasié, il s'agenouille pour ramasser les perles, sous l'œil des passants qui hochent la tête.

Miracle de la folie. Ce n'est pas pour rien que les peuples proches de la nature honorent les «esprits dérangés» comme s'ils étaient des saints.

Le rêve grandit
et
fait naître la folie

LEIST

à la fin de toute pensée. Rien n'est plus libre, tout est conditionné, on ne juge plus, on condamne. Face à ce danger, l'homme logique est appelé à mettre en doute le côté définitif de ses concepts, à les remettre sans cesse en question.

Définir

Définir quelque chose, cela veut dire l'expliquer, le commenter et établir son champ de signification. Concevoir quelque chose, le munir d'un concept, cela veut dire définir; déterminer quelque chose qui rende exactement compte de ce qu'on veut dire et de ce qu'on ne veut pas dire.

La définition, c'est la délimitation précise et intégrale de ce quelque chose dans sa signification, dans son rapport avec lui-même et avec toutes les autres choses. À partir de cette donnée du problème, définir devient un des tout premiers exercices de la logique.

Avec la définition, le monde, qui apparaît d'abord comme un chaos indéterminé et sans liens d'éléments divers, en accord ou en désaccord, se structure à l'extrême. L'expérience de l'identité, à l'intérieur de toutes les différences et individualités, voilà le commencement de la conception, de la définition du monde. Dès lors, il apparaît jalonné de marques distinctives et de points de repère, au moyen desquels on peut immédiatement reconnaître un objet et le différencier de tous les autres.

À la fin, chaque concept doit être représenté par un mot, et cette définition doit le différencier de tous les autres. Par la logique, on doit pouvoir enchaîner ou isoler des mots pour voir s'ils ont un caractère unique, universel, ou les deux.

La définition doit s'en tenir à des règles précises, dont le respect autorise à dire si quelque chose est «défini». Ainsi, ce qui définit doit être plus connu que ce qui est défini. Sinon la définition n'aurait aucune valeur, puisque le défini continuerait à être inconnu.

Ce qui définit doit être bien séparé de ce qui est

EXPOSÉ

Concept implicite

«C'est mon père» signifie en même temps que je suis son fils. Le terme «fils» est implicite. Il est abordé sans être énoncé.

Les expressions «lire entre les lignes», «dire à demi-mot» expriment au mieux ce qu'il faut comprendre par «implicite». On dit quelque chose, et en même temps bien plus. On écrit quelque chose, et bien plus.

L'implication permet d'un côté de rendre une proposition plus colorée, plus passionnante, de rationaliser. D'un autre côté, elle est la source de bon nombre de malentendus. Surtout lorsque celui à qui est destinée une proposition implicite n'en connaît ni n'en voit les tenants et les aboutissants.

Quiconque maîtrise l'art de l'implication est un expert dans l'art de la manipulation de la vérité, utilisée dans des cas de nécessité ou pour tromper volontairement autrui.

De cette manière, on peut parler, et avec un tact certain ne rien dire, assurer quelque chose à quelqu'un sans rien lui promettre.

La volonté globalisante de notre expérience nous conduit à des généralisations, et donc aussi à des implications. La mauvaise interprétation d'une implication est souvent le point de départ d'une rumeur.

«M. Untel a un violon» implique que M. Untel joue de ce violon. L'expérience nous a montré que dans la plupart des cas, ceux qui possèdent un violon en jouent. Or il se trouve que M. Untel n'a jamais appris le violon.

défini. Sinon, aucun nouveau concept ne verrait le jour (ce serait l'équivalent d'une tautologie tacite, moyen par lequel diverses sciences font prendre les vessies de certaines apparences séduisantes pour les lanternes de l'exemple).

On peut par exemple définir un avion comme un véhicule qui se déplace dans les airs. Mais si on voulait définir un avion comme un véhicule à roues (ce qui est vrai), la définition serait imprécise, puisque tous les véhicules sont censés avoir des roues. On ne dirait donc par là rien d'essentiellement nouveau.

Un concept est défini lorsque l'ensemble de ses caractéristiques est représenté. Le but est la totalité. Un concept individuel est défini lorsqu'il sert à confirmer le caractère unique de l'identité, qui différencie les individualités les unes des autres. Le but n'est pas la totalité, mais la clarté. Il existe donc un rapport caractéristique entre les concepts individuels et les concepts universels. D'une part, on a la différence dans l'identité générale, d'autre part l'identité dans la différence. Ce rapport est défini par les expressions «général» (lié au genre) et «spécifique» (lié à l'espèce). D'un point de vue global, le genre représente le concept universel et l'espèce le concept individuel.

Véhicule est le concept général du concept spécifique automobile. Ou si l'on préfère: l'aspect spécifique d'une notion générale signifie que cette spécificité inclut toutes les caractéristiques de la notion générale, plus les siennes propres. La notion générale d'un aspect spécifique signifie que sont incluses universellement, uniquement les caractéristiques de cette spécificité.

Le schéma de la page suivante montre le rapport qui existe entre genre et espèce à l'intérieur d'une hiérarchie de concepts donnée. Instruction pour les définitions: l'explication fondamentale d'une notion se fait à l'aide des notions générales qui précèdent et par la différenciation spécifique.

Exemple: un camion est une automobile sur laquelle on transporte de lourdes charges.

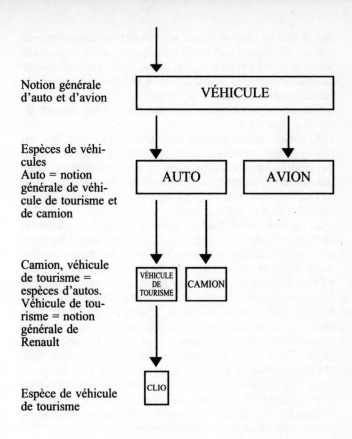

Extrait d'une pyramide de concept donnée, destinée à montrer le rapport entre notion générale (genre) et aspect spécifique (espèce).

Si on disait: «un véhicule sur lequel on transporte de lourdes charges» (véhicule n'est pas la notion générale qui précède immédiatement, mais celle qui est encore un cran au-dessus), le caractère de délimitation intégrale serait supprimé, parce qu'on ne pourrait plus faire la différence avec un avion, qui sert aussi à transporter de lourdes charges.

Si on ne faisait pas de différenciation spécifique (si par exemple on disait: «un camion est quelque chose qui roule sur les routes, qui a quatre roues»), ledit camion pourrait tout aussi bien être un fauteuil roulant. Les définitions, par rapport au concept, seraient toutes les deux également fausses.

Si la règle de définition n'est pas respectée, alors la définition n'est pas bonne. Soit elle est trop large, ou alors trop restreinte, ou encore douteuse, voire absolument inexacte. Un exemple de définition trop large: «l'État est une communauté humaine organisée sur un territoire précis». Cette définition pourrait tout aussi bien s'appliquer à la ligue française du sport. Un exemple de définition trop restreinte: «... à la tête de laquelle un homme exerce le pouvoir ou édicte des lois». Dans ce cas-ci, on n'a défini qu'un seul type d'État, à savoir la monarchie, et non pas l'État en général. Cette définition ne s'applique pas aux démocraties.

Pour définir quelque chose avec exactitude, il ne faut jamais perdre de vue le rapport entre genre et espèce. Sept types de rapport sont importants:

• À l'intérieur d'une hiérarchie de concepts donnée, chaque notion générale d'une espèce doit être en même temps notion générale de ses sous-espèces. Donc, si «véhicule» est la notion générale d'«automobile», elle l'est aussi de «véhicule de tourisme» et de «Renault Clio».
• La notion générale peut être l'espèce: un véhicule peut être une automobile.
• Toute espèce a une notion générale: une automobile est toujours un véhicule.

Paradoxe logique

« Ce que je dis est un mensonge. »

*Si cette affirmation est vraie,
alors c'est qu'elle est fausse.
Par contre, si elle est fausse,
c'est qu'elle est vraie.*

Qu'en pensez-vous ?

• Une espèce ne peut pas en être une autre. Un camion ne peut pas être en même temps camion et véhicule de tourisme.

• Ce qui est exclu par le genre l'est aussi pour l'espèce et les sous-espèces. On ne peut pas manger un véhicule : on ne peut donc pas non plus manger une automobile, un camion ou une Renault Clio.

• Le genre ne peut pas exclure ce que l'espèce inclut. Si une Renault Clio a un volant, il est impossible qu'une automobile n'ait pas de volant.

• Le genre n'inclut pas forcément ce que l'espèce exclut. Il est par exemple exclu qu'une automobile vive. C'est pourquoi il n'est pas concevable non plus que les véhicules vivent.

Que doit offrir une définition ? Elle doit exprimer le plus précisément possible quelque chose. Elle ne doit être ni trop large ni trop restreinte. Un concept défini doit être aussi universel, mais également aussi individuel que possible ! La plupart des définitions inexactes ont leur origine dans la négligence qu'on témoigne envers cette dernière prescription. Dans la plupart des cas (essentiellement par manque de vocabulaire et de précision, mais aussi à cause de la tendance de l'homme à se répéter), les définitions sont trop larges. Ainsi, des concepts spécifiques ont souvent un caractère général, ce qui est la source de globalisations aussi excessives que dangereuses.

EXPOSÉ

Transfert

On considère qu'un transfert est positif ou négatif. Dans un transfert positif, on transporte avec succès un apprentissage d'une activité à une autre. Par exemple, si par le biais des démonstrations de ce livre, vous commencez à examiner vos préjugés et vos habitudes mentales, ou encore mieux, si vous les corrigez, en continuant de le faire après avoir terminé votre lecture et en reportant vos acquis sur toute votre façon de penser, alors, dans ce cas, vous aurez atteint le transfert positif que vous espériez.

Agitation 2

Classez le mieux possible les séries d'objets suivantes, dessinées apparemment au hasard.

Aphorismes 4

La médecine n'arrête pas ses progrès : nous sommes de plus en plus malades.

Que sont devenues les femmes et les familles des disciples, après qu'ils aient rencontré et suivi le Christ ?

La personnalité flirte toujours en cachette avec l'anarchisme.

Les relations à 4
(2 hommes,
2 femmes), fonc-
tionnent mieux que
celles à 2
(1 homme, 1 femme).

Les étudiants et les lycéens de 1968
peuvent remercier la police française
de leur avoir si facilement
montré le camp qu'ils avaient
à choisir.

1. EXERCICE

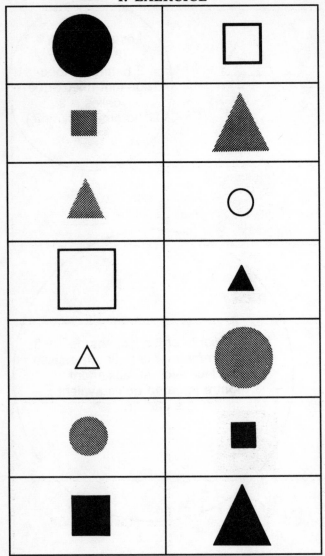

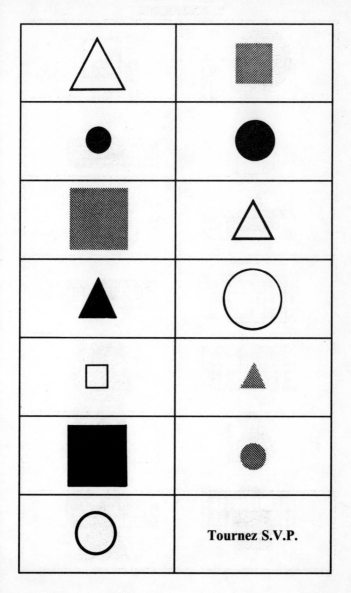

Tournez S.V.P.

55

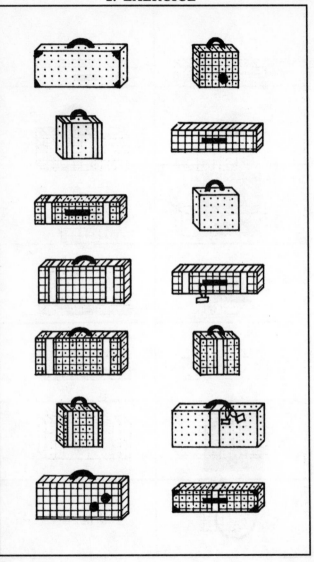

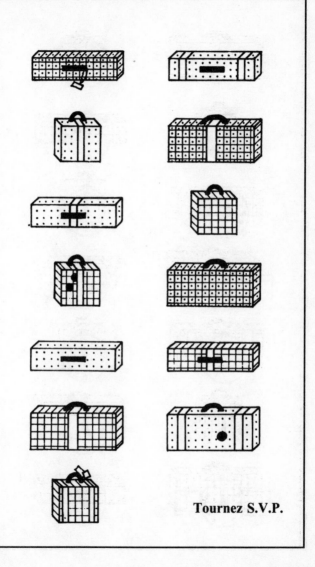

Tournez S.V.P.

3. EXERCICE

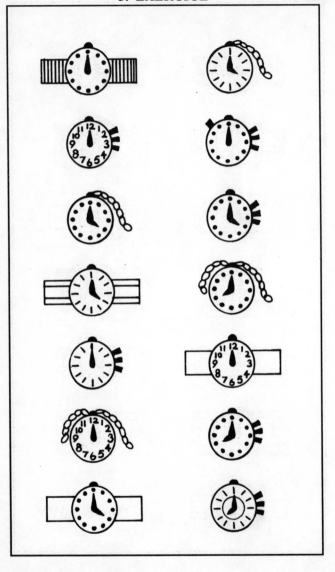

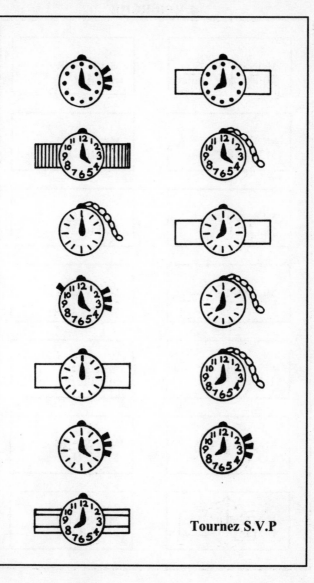

Tournez S.V.P

4. EXERCICE

MONSIEUR 21 LIEU	MONSIEUR 2 LIEU
MONSIEUR 513 LIEU	MADAME 2 LIEU
MONSIEUR 51 LIEU	MADAME 5 LIEU
MONSIEUR 8 LIEU	MADAME 21 LIEU
MONSIEUR 213 LIEU	MADAME 51 LIEU
MADAME 213 LIEU	MONSIEUR 5 <u>LIEU</u>
MADEMOISELLE 2 <u>LIEU</u>	MONSIEUR 81 LIEU

MADEMOISELLE 81 LIEU	MADAME 513 LIEU
MADAME 8 <u>LIEU</u>	MADAME 81 LIEU
MONSIEUR 813 LIEU	MADEMOISELLE 8 LIEU
MADEMOISELLE 21 LIEU	MADEMOISELLE 51 LIEU
MADEMOISELLE 813 LIEU	MADEMOISELLE 513 LIEU
MADAME 813 LIEU	MADEMOISELLE 5 LIEU
MADEMOISELLE 213 LIEU	**Fin de l'agitation**

Solution pages 144 et 145

*Les faits eux-mêmes
deviennent fiction
lorsqu'ils ne sont
considérés que du point
de vue de la réalité.*

D'après LAING

JUGER

Juger: information

Juger

On exprime un jugement par la formule: «quelque chose est»

> X est Y

Le jugement *universel*

> Tous les X sont Y
> aucun X n'est un Y

Le jugement universel a un caractère de notion générale. «Tous» peut être remplacé par «genre».

Le jugement *individuel*

> Quelques X sont Y
> quelques X ne sont pas Y

Le jugement individuel a un caractère d'aspect spécifique. «Quelques» peut être remplacé par «espèce». Quelques avions peuvent voler, alors ce sont des avions.

Le jugement *hypothétique*

> Si X, alors Y

Le lien de causalité doit être compris dans le sens du «possible» qui est rendu possible «parce que»…

Le jugement *alternatif*

> Ou bien X ou bien Y

Il signifie dans tous les cas une différence entre X et Y. L'un ne peut être qu'à partir du moment où l'autre n'est pas.

EXPOSÉ

L'absence d'amour n'est pas la haine

Qu'est-ce que le contraire de la sympathie? M. Tout-le-Monde serait tenté de dire, a priori: l'antipathie.

C'est là qu'il tombe dans le panneau, parce que son expérience personnelle et sociale lui a toujours appris que les actions entraînent des ré-actions.

Ce «ré» est le mal qui nous échoit par la vengeance des dieux.

Le rapport sympathie/antipathie est quelque chose de *tragiquement* humain.

Le rapport sympathie/non-sympathie, quant à lui, est *logique*. Il se base sur le principe identité/différence: action ou non-action. Non-sympathie égale non-action et n'égale *pas* anti-pathie, puisque cette dernière est une ré-action. Si l'homme appelé à l'action s'en tenait à ce rapport action/non-action, il serait sans cesse en progrès, puisqu'il ne serait bloqué par aucune ré-action. La tragédie humaine est dans la réaction. Mais comment échapper à cette escalade de l'enchaînement de l'action et de la réaction? Il faudrait désapprendre à ré-agir! Il faudrait étudier comme solution de remplacement le «non-agir». C'est peut-être cela qu'il faut entendre par le mot «tolérance». Dans un livre plein de sagesse, il est écrit: «À qui te frappe sur une joue, présente encore l'autre.» Peut-être le sens profond de cette maxime réside-t-il moins dans le fait de se faire frapper une fois de plus que dans celui de parvenir à se maîtriser pour ne pas frapper en retour.

L'avez-vous déjà remarqué: les jugements qui commencent par «tous... sont» établissent des pseudo-vérités, et tous ceux qui commencent par «tous... ne sont pas» des pseudo-mensonges.

Juger: quelques réflexions

Juger

Doit-on dire: 2 fois 2 sont 4 ou bien 2 fois 2 font 4?
Pratiquement personne ne se pose pareille question: il
ne faut pas couper les cheveux en quatre!

Cela prouve bien le peu de respect que l'on accorde à
ce petit mot «être». Quelque chose qui «est» (2 fois 2
qui «sont» 4) ne permet plus qu'on revienne en arrière.
Avec le mot «est», on décide du sort de l'univers
entier. Avec le mot «est», on est dans le domaine du
jugement philosophique. C'est une bénédiction pour la
connaissance quand celui-ci est logique, une malédiction lorsqu'il oppose, avec négligence et illogisme, des
différences incompatibles.

Avec son jugement, l'homme décide du monde. Du
sien et de celui des autres.

Les jugements sont les ponts qui relient les concepts
aux conclusions. Les jugements décident des points de
départ (prémisses), et donc des conclusions qu'on va
pouvoir en tirer.

Le jugement met à la disposition de l'esprit la signification. Grâce à elle, la simple mise en présence éparse
des choses devient pour l'esprit quelque chose de struc-
turé et d'ordonné. L'homme pensant peut dès cet instant
se reconnaître dans son monde. Au regard de la puissance qui est contenue dans cette capacité de jugement
philosophique, il paraît inconcevable que tant d'individus n'ont ni les moyens ni l'envie de juger. D'où cela
peut-il bien provenir? On en trouve les raisons dans
l'esprit même de l'homme. Tout est dans sa manière de
vivre, d'interpréter et de faire travailler son expérience.
C'est l'homme lui-même qui est le plus grand danger
pour le jugement logique. Il a déjà été dit que le mode
de fonctionnement du cerveau, du système nerveux et
des organes sensitifs tendait surtout à l'élimination et à

EXPOSÉ

Implication

Le 14 septembre 1973, on pouvait lire dans un quotidien...

De notre correspondant au Chili

Buenos Aires, 13 septembre

La junte militaire putschiste au pouvoir maintient avec fermeté le Chili loin de tout contact avec l'extérieur. On veut éviter par là que l'étranger soit témoin des brutalités par lesquelles la dictature militaire la plus jeune d'Amérique latine se cramponne au pouvoir face à la résistance de la classe ouvrière.

Dans ce texte, la brutalité n'est pas une hypothèse, mais une certitude. Or, cette certitude est fausse, car on ne peut certifier que ce dont on a connaissance. Et dans ce cas, la connaissance est impossible puisqu'on interdit toute présence d'étrangers dans le pays. La conclusion: «le pays est isolé du reste du monde, donc il a quelque chose à cacher» est illogique.

Ici, on a plutôt affaire à une implication par anticipation (non prouvée au moment de l'affirmation): une junte militaire putschiste ne peut qu'être cruelle, et donc si elle isole le pays, ce ne peut être que pour cacher ses atrocités. La conclusion est tirée à rebours. Assurément, l'hypothèse est plausible, mais non logique.

Cependant, avec quelle promptitude notre «compréhension» déficiente tombe dans les pièges que lui tendent le superficiel, le plausible, l'apparence, le probable, le vraisemblable.

la non-production. Pour pouvoir assurer une survie bio-logique, l'esprit tout entier doit passer par des «sou-papes de réduction» du cerveau et du système nerveux. Ce qui au bout du circuit apparaît comme conscience n'est qu'un mince filet d'eau, qui nous aide tout juste à assurer notre survie à la surface de notre planète. (D'après *Huxley*.)

Cela signifie que l'homme sélectionne, qu'il ne fait pas l'expérience de tout ce qui est expérimentable. Il aura toujours à combler un déficit d'expérience. Il le fera en transférant, en généralisant l'état du moment de son expérience sur sa vision globale du monde. Mais il devra toujours veiller à ce qu'il y ait un équilibre entre cet état de son expérience et cette vision globale dans son jugement, et savoir que ses prises de position et ses préjugés compromettront sa faculté de juger. Il courra le risque de ne plus juger avec logique, mais avec ce qu'il récupérera au bout de cette chaîne sélective et réduc-trice. Bientôt, l'expérience deviendra habitude, et fera de la pensée un sens unique où il fera bon traîner. Et finalement, il préférera ce confort aux exigences du tra-vail de la pensée. Du confort naîtra l'abrutissement, qui endormira la vigilance de la pensée face aux séductions et aux mensonges de l'apparence. Au bout du compte, l'abrutissement cédera le pas à une anesthésie des sens dans laquelle il se vautrera avec complaisance. Il ne fera plus qu'imiter, il aura cessé de créer. Le monde ne sera plus partagé entre le vrai et le faux, mais entre le conventionnel et le non conventionnel. Le convention-nel prend la place du vrai et devient l'apparence des choses. Le non conventionnel, qui recèle encore une part de vérité, ne sera plus reconnu. Aller à sa ren-contre, on l'a dit, exigerait trop d'efforts en plus de l'abandon des clichés d'usage, et de la nécessité de découvrir de nouveaux points de repère.

Un jugement de quelque chose exige toujours qu'il y ait un autre jugement. Les erreurs de perception si connues (cf. les figures impossibles ci-après) démon-trent elles aussi à quel point l'homme a désappris à ac-

EXPOSÉ

Présence et absence du temps

Cette dialectique met en mouvement la pensée qui veut trouver son commencement logique : la pensée qui se déshabille pour revêtir ses propres vêtements.

La pensée logique est soumise à cette double dialectique : déshabillage (des apparences, des illusions) et habillage (d'une réalité vraie, soumise à des règles). En même temps qu'on la déshabille, on l'habille.

« Je sais que je ne sais rien. » Il me faut apprendre beaucoup avant de pouvoir apprendre que je n'ai rien appris. Pour parvenir à la pensée, il me faut généraliser, mais pour pratiquer la pensée, il me faut cesser de généraliser. Dans sa forme logique absolue, penser est un acte simultané et alternatif : généraliser et différencier.

Dans cette simultanéité, on peut trouver des traces d'atemporalité. Mais est-ce vraiment possible : ne dépendre ni du hasard de l'apparence ni de la temporalité ? Qu'on essaie d'imaginer que quarante ou cinquante ans d'expérience de notre vie soient ainsi concentrés en une seule seconde ! Que se passe-t-il si je me tiens dans deux chambres différentes, en alternance et de plus en plus vite ? D'abord cinq minutes dans la première, puis cinq minutes dans l'autre. Puis, une minute dans la première, une minute dans l'autre. Puis dix secondes. Etc. Et ceci jusqu'à une fréquence alternative infinie ? Suis-je alors dans les deux chambres en même temps ? Ne suis-je dans aucune des deux ?... Je suis dans les deux chambres en même temps et pourtant dans aucune des deux.

C'est le temps qui empêche de donner une réponse à cette question.

cepter le non conventionnel, venu contredire son expérience des choses. La dictature de l'expérience nuit aux formulations logiques, leur fait obstacle, parce que justement elles ne reposent plus sur les lois de la logique, mais sur celles de l'expérience.

Car dans le jugement, la conclusion qu'on tire est anticipée et décidée préalablement.

La logique n'a de sens que si les conclusions logiques ont des prémisses qui se rapportent à des contenus justes et vrais.

«Si quelques autos sont des avions, c'est que quelques avions sont des autos.» D'après les règles de la logique, cette conclusion est juste, alors qu'elle est fausse, parce que les prémisses en sont fausses. Elle se heurte aux fondements de l'identité: à savoir qu'une espèce ne peut pas être en même temps une autre espèce. Donc, quiconque veut vérifier le bien-fondé de ses prémisses devra expérimenter quelque chose à quoi elles se rapportent. Dans la plupart des cas, il ne sera pas possible de vérifier immédiatement la justesse de leurs contenus. Plutôt que de renoncer dès lors à tout jugement, nombreux sont ceux qui préfèrent se fier à des hypothèses ou à des propos rapportés.

Mille fois plus encore que lorsqu'on définit, le devoir de la pensée logique, lorsqu'on juge, est de remettre sans cesse son expérience en question par la critique.

Agitation 3

Observez longuement les figures suivantes, dites impossibles.

Essayez de saisir ces représentations étranges selon une règle quelconque.

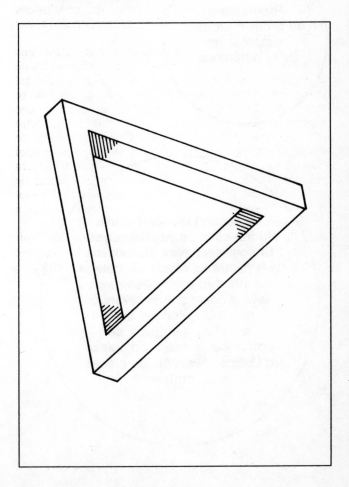

Aphorismes 5

Programme
du Front National:
suppression
de la différence.

Le second de ses fils alla
étudier chez un psychanalyste.
Et comme il avait été brillant,
son maître lui révéla où trouver
un nombre particulièrement
élevé d'ânes; sur un divan, où
une fois qu'on les avait
étendus, il suffisait de
prononcer le mot: complexe
d'Œdipe. Aussitôt, les pièces
d'or tombaient.

Sur terre, l'homme
se construit
son enfer : il
n'en sortira qu'à
sa mort

Le Front National
contre l'anecdotisme :
les chambres à gaz
ne sont qu'un détail
de la Seconde
Guerre mondiale.

La justice
industrialisée
a pendu le droit
avec la corde
des alinéas du Code.

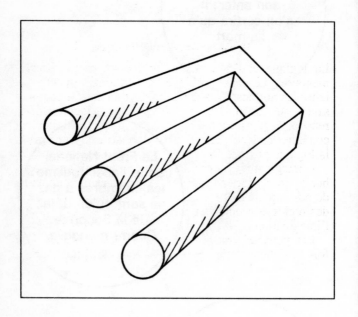

EXPOSÉ

Imagination = anti-logique

La logique et l'imagination sont deux pôles complémentaires. La pensée logique est puritaine, respecte à la lettre les normes, avance pas à pas d'un état de connaissance au suivant : la pensée logique «identité/différence», la pensée «oui/non» ne peut que difficilement conduire les idées dans des voies créatrices. Cependant, la logique possède la pureté fascinante du cristal.

L'imagination (la pensée créatrice, latérale) est vagabonde, tourbillonnante, et ne dépend en rien du domaine de nos expériences et de nos idées. L'imagination fait fi des règles et a pour but la pensée créatrice. Cependant, l'imagination possède le feu explosif du chaos spontané.

Les pensées sont bonnes lorsqu'elles possèdent à la fois la rigueur de la logique et l'éclat de l'imagination.

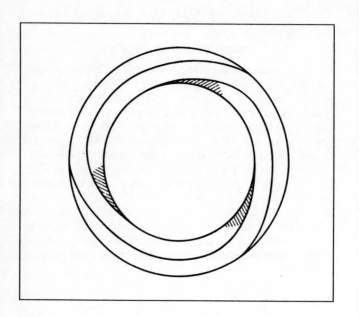

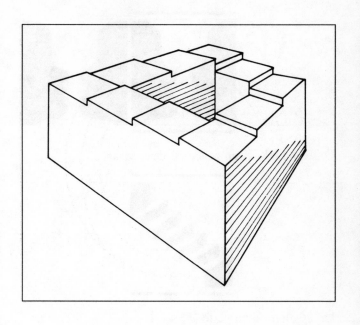

Agitation 4

Observez les dessins ci-dessous, à représentation simultanée.

On reconnaît ici un calice ou deux visages

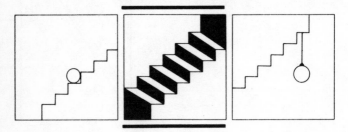

Un escalier ou un plafond

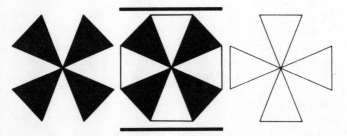

Une croix noire ou une croix blanche

Une femme jeune ou une vieille femme

Concentrez-vous entièrement sur ces figures et passez d'une représentation à l'autre. Votre objectif est de pouvoir contrôler vos passages de manière consciente et d'en augmenter la fréquence.

On prévoit 10 tours par figure. Dans chaque tour, essayez de réaliser en 1 minute autant de passages d'une représentation à l'autre que possible. Notez votre score dans la case correspondante.

Règle: ne passez à la figure suivante que si vous avez amélioré votre score, pour la figure précédente, d'au moins 5%, donc après avoir atteint un nombre de passages plus important.

	SCORE
1er tour	
2e tour	
3e tour	
4e tour	
5e tour	
6e tour	
7e tour	
8e tour	
9e tour	
10e tour	

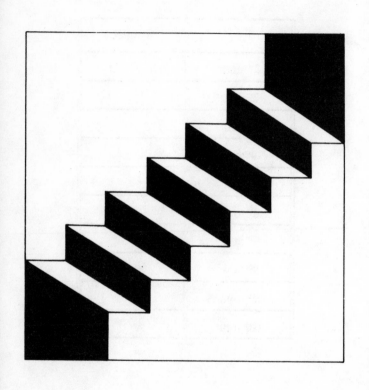

	SCORE
1er tour	
2e tour	
3e tour	
4e tour	
5e tour	
6e tour	
7e tour	
8e tour	
9e tour	
10e tour	

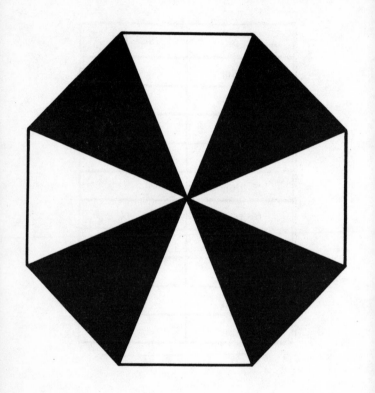

	SCORE
1er tour	
2^e tour	
3^e tour	
4^e tour	
5^e tour	
6^e tour	
7^e tour	
8^e tour	
9^e tour	
10^e tour	

	SCORE
1er tour	
2e tour	
3e tour	
4e tour	
5e tour	
6e tour	
7e tour	
8e tour	
9e tour	
10e tour	

*Une des conditions
de l'abolition des privilèges
est de considérer que lire
un livre peut être parfois
un travail.*

Agitation 5

Observez les dessins suivants, représentant des illusions optiques.

Il y a le même espacement entre les trois points

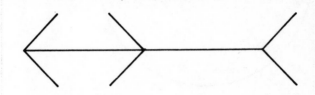

Il y a le même espacement entre les trois équerres

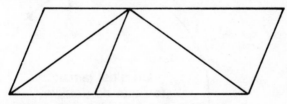

Les deux diagonales ont la même longueur

Pour chaque essai, il vous faudra trouver laquelle des 4 possibilités répond au critère «même longueur ou «même espacement».

Mettez une croix à côté des lettres correspondantes. Travaillez cet exercice jusqu'à ce que vous trouviez les bonnes réponses du premier coup et sans l'aide du hasard.

Aphorismes 6

On reconnaît la
valeur d'une société
à la popularité
de ses fous.

On n'est jamais
fou que de douleur,
pas de jouissance.

C'est connu : la terre est le centre de l'univers : le centre, entre augmentation et réduction.

Dans son fanatisme religieux, Abraham aurait bien failli assassiner son fils, si Dieu n'était pas intervenu à temps.

Ce qui finit par arriver est ce qu'on a vraiment voulu.

1er ESSAI

Dans quel dessin les diagonales ont-elles la même longueur?

A

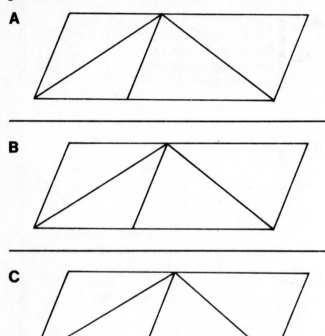

B

C

D

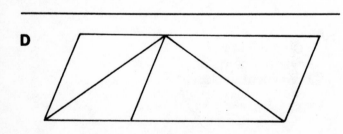

2e ESSAI

Dans quel dessin y a-t-il le même espacement entre les trois points?

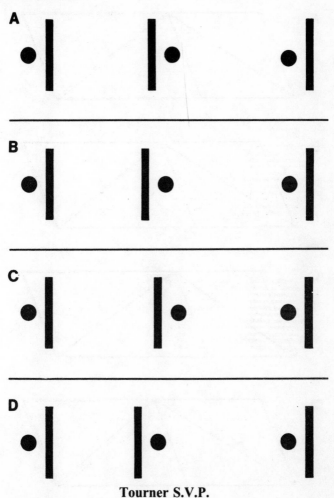

Tourner S.V.P.

Dans quel dessin les diagonales ont-elles la même longueur?

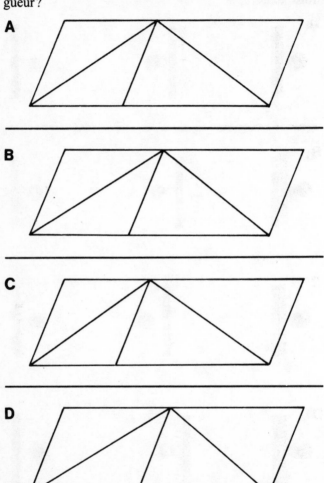

A

B

C

D

4e ESSAI

Dans quel dessin y a-t-il le même espacement entre les trois points?

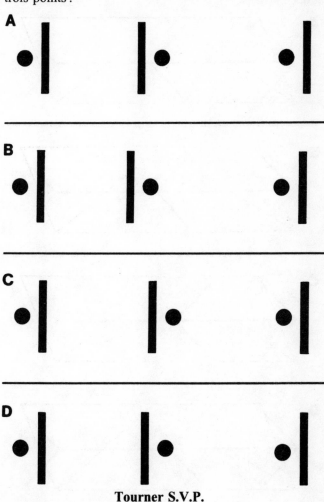

Tourner S.V.P.

5ᵉ ESSAI

Dans quel dessin y a-t-il le même espacement entre les trois équerres?

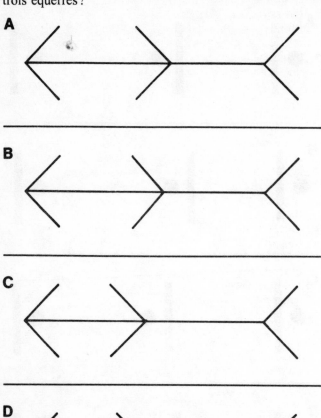

A

B

C

D

6e ESSAI

Dans quel dessin y a-t-il le même espacement entre les trois équerres?

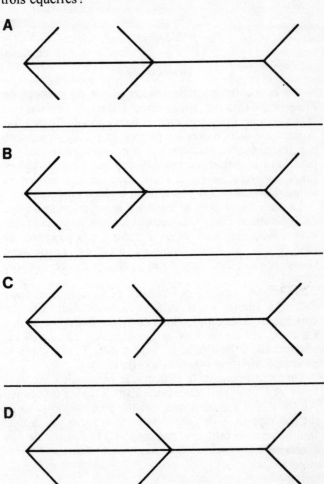

A

B

C

D

Suite page 102

EXPOSÉ

Dialectique

Il y a beaucoup de malentendus autour du concept de dialectique. Comme, apparemment, il est de bon ton que la dialectique fasse partie de la formation de l'esprit, on la retrouve dans toutes les formes de pensée fantaisiste possibles. Ces dialectiques-là sont inintéressantes. On peut faire la différence entre dialectique pure et dialectique. La première est la dialectique au sens propre du terme, la seconde est plutôt de la logique appliquée.

La dialectique pure se base sur la réflexion suivante : quelque chose «est» uniquement à partir de son identité avec soi-même, mais aussi à partir de la négation de tout ce qui, au même moment, n'est pas ce quelque chose (c'est-à-dire établit les contours de ce quelque chose).

N'est vrai que ce qui ressort de la synthèse entre l'identité (thèse) et la différence (antithèse). Chaque conception de soi dialectique renferme une thèse et une antithèse, reflets de deux entités séparées. La dualité (la «coupure») a lieu dans la temporalité, l'unité dans la dé-temporalisation (suppression du temps).

De cette manière, la dialectique reconnaît l'ambivalence et l'antinomie du monde dans le cours du temps. Au sens hégélien du terme, chaque proposition se définit par rapport à sa contre-proposition. Chaque définition ne peut se faire que par rapport à et à partir de son contraire.

Mais proposition et contre-proposition n'ont de sens réel que si on les implique dans quelque chose de plus élevé et de plus global (synthèse), qui leur permet de se dépasser tout en restant séparées.

La dialectique comme logique appliquée est l'art du dialogue dans la définition des concepts, l'instrument de la réussite dans la lutte pour la reconnaissance, la méthode de la persuasion et, au bout du compte, l'art du dialogue de manière générale. Une telle dialectique (et sa logique) est l'instrument qui permet d'atteindre un but précis, comme par exemple avoir le dernier mot dans une discussion, convaincre un interlocuteur par des arguments ou de faux arguments.

La dialectique court ainsi le risque de devenir une tactique de manipulation de la vérité. Ce qui au départ devait aider la vérité à se faire entendre, en démasquant le non exact, le non vrai et le différent, devient un simple moyen de manipulation égoïste de la vérité.

La dialectique utilisée à des fins égoïstes, pour servir quelque idéologie, est employée à contresens.

Aphorismes 7

Après le Viêt-nam, l'Amérique
avait besoin d'une guerre
dont elle n'était pas responsable
et où elle apparaissait
comme la garante de la démocratie :
la guerre du Golfe lui en a fourni
l'occasion.

Qui contrôle
les capacités
d'apprentissage
des
vainqueurs ?

Le premier antéchrist
était l'empereur
Constantin,
`le premier anti-
marxiste, Lénine.

Relativement
à la question
«A quoi bon?»,
Hitler a dépassé
toutes les prévisions.

95% des résultats
qui commencent
par: «Comme l'ont
prouvé nos
recherches…»
sont faux.

7e ESSAI

Dans quel dessin y a-t-il le même espacement entre les trois équerres?

A

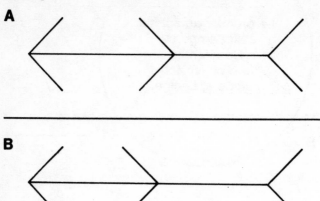

B

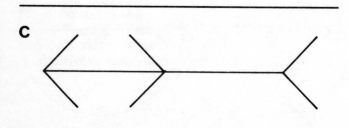

C

D

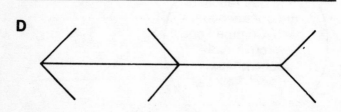

Dans quel dessin les trois diagonales ont-elles la même longueur?

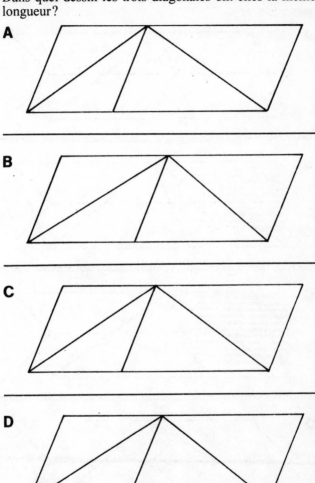

A

B

C

D

Tourner S.V.P.

103

Dans quel dessin les diagonales ont-elles la même longueur?

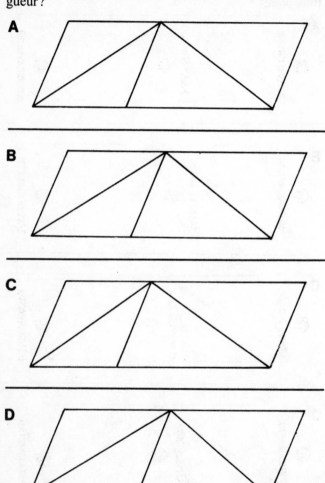

10e ESSAI

Dans quel dessin y a-t-il le même espacement entre les trois points?

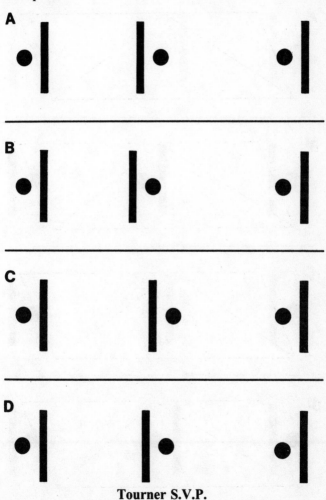

A

B

C

D

Tourner S.V.P.

11e ESSAI

Dans quel dessin y a-t-il le même espacement entre les trois points?

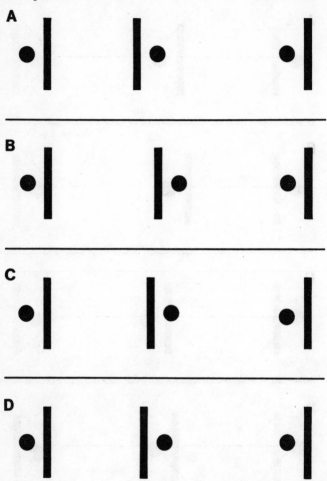

12ᵉ ESSAI

Dans quel dessin y a-t-il le même espacement entre les trois équerres?

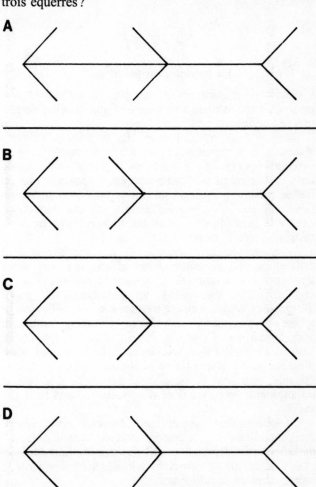

A

B

C

D

Suite page 111

EXPOSÉ

La logique, un privilège?

L'observation: prise à son compte de jugements non prouvés, servant manifestement à la stabilisation de son propre sentiment.

Dans le domaine du partage des richesses, la discrimination à l'encontre des couches sociales les plus défavorisées (en ce qui concerne la formation, le mode de vie, le niveau professionnel) est proportionnelle au fait de prétendre avoir un revenu particulièrement élevé. C'est un mode de pensée stéréotypé, par lequel on exerce le contrôle de sentiments de haine à partir de la conscience de la misère des victimes.

La puissance avec laquelle de tels sentiments sont provoqués, investissent le champ affectif et y sont entretenus est à la mesure de la résistance déployée face à une évidence: on néglige les statistiques au profit d'exemples volontairement exagérés, que la réflexion se refuse à considérer selon leur caractère purement «représentatif». Donc, le besoin d'un sentiment de haine à l'encontre des couches sociales défavorisées est d'autant plus fort que l'activité qu'on exerce est insatisfaisante, que sont étroites les perspectives d'avenir et qu'augmente le risque d'un déclassement dans l'échelle sociale.

Ce phénomène propre aux cerveaux non exercés intellectuellement a sa correspondance dans le domaine de la haute intellectualité, où l'exercice de la rhétorique et des processus de pensée bien huilés semblent avoir le même effet de stabilisation.

Une intellectualité supérieure devrait signifier une conscience plus grande des limites de ses propres connaissances et de sa capacité de jugement.

Si l'on considère le peu de connaissances qu'ont la plupart des gens sur les questions d'économie sociale, on peut s'interroger sur leur besoin de prendre parti de façon si véhémente dans des discussions sur ce thème. La structure d'une prise de parti devrait pouvoir se calculer de manière empirique : quels groupes — à définir exactement selon le rang social, la formation, les centres d'intérêt et les projets — tendent à quels types de généralisation. Et dans l'interprétation des chiffres, il faudrait particulièrement tenir compte du niveau effectif d'information de chaque personne concernée.

En tout scepticisme, et contre toutes les euphories éducatives : l'organisation de la société tout entière (baisse d'activité due au partage du travail, besoin de l'industrie d'exploiter toutes les failles du marché, besoin de créer ces failles pour exercer un contrôle absolu sur l'individu, manipulation - télévision - loisirs) est dirigée contre toute formation d'une pensée efficace. Parce que l'intérêt porté à la connaissance, qui pourrait amener une critique des passions immédiates, ne trouve aucun débouché dans les processus de production actuels, et qu'on préfère taxer un tel intérêt de «loufoquerie» et en faire un sujet tabou.

.

La logique, un privilège?

13ᵉ ESSAI

Dans quel dessin y a-t-il le même espacement entre les trois points?

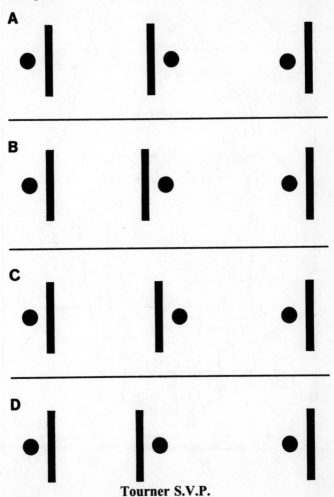

Tourner S.V.P.

14e ESSAI

Dans quel dessin y a-t-il le même espacement entre les trois équerres?

A

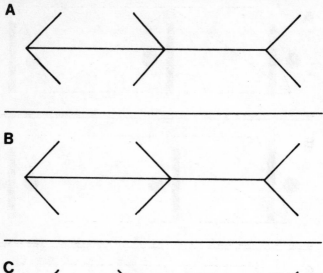

B

C

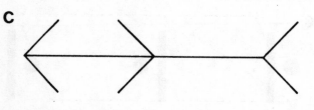

D

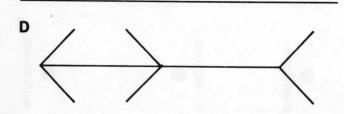

15e ESSAI

Dans quel dessin les diagonales ont-elles la même longueur?

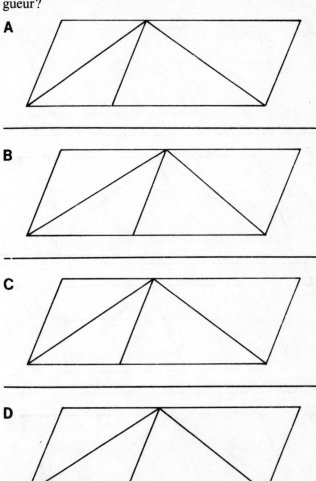

A

B

C

D

Tourner S.V.P.

16e ESSAI

Dans quel dessin les diagonales ont-elles la même longueur?

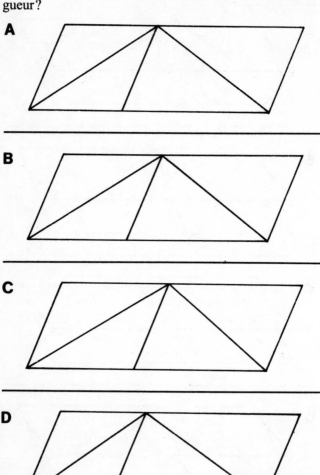

A

B

C

D

17e ESSAI

Dans quel dessin y a-t-il le même espacement entre les trois équerres?

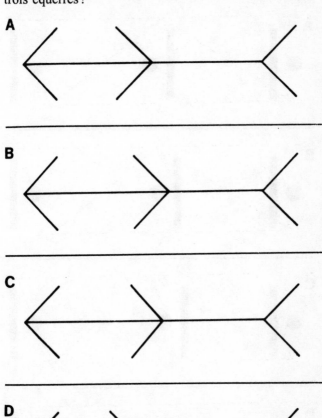

A

B

C

D

Tourner S.V.P.

Dans quel dessin y a-t-il le même espacement entre les trois points?

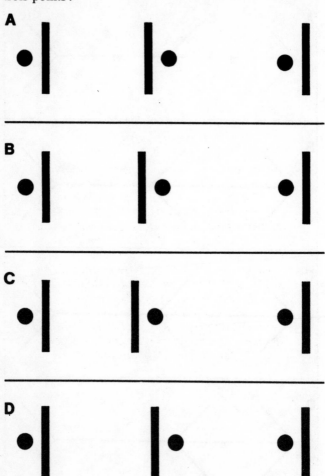

Fin de l'agitation: solutions page 145.

Conclusions

*Beaucoup de gens croyaient que les étoiles
étaient mises en mouvement par les anges.
Il a été prouvé qu'il n'en était rien.
Après cette découverte et quelques autres
du même type, beaucoup de gens ont conclu
que les anges n'existaient pas.*

*Beaucoup de gens croyaient que le siège
de l'âme était quelque part dans le cerveau.
On a eu beau ouvrir des cerveaux,
personne n'y a vu l'âme.
Après cette découverte et quelques autres
du même type, beaucoup de gens ont conclu
que l'âme n'existait pas.*

POUR
CONCLURE

Conclure: information

Conclure

Conclure est l'acte qui vient couronner la pensée logique. Conclure signifie: soutenir des jugements nouveaux à partir de jugements anciens, ou soutenir des jugements à partir d'autres jugements, de telle sorte qu'on puisse considérer le nouveau jugement comme ayant déjà été contenu dans l'ancien, logiquement. Ainsi, tout jugement est toujours contenu dans un autre jugement (qui fait fonction de condition préalable, de prémisse), il y est toujours prévu, puisqu'il s'en tient aux règles de la logique.

Le noyau de l'apprentissage de la conclusion, dans la logique (classique), est l'apprentissage du syllogisme. Il en existe une quantité innombrable. Dans la logique traditionnelle, c'est le «Modus barbara» qui a la préférence. Pour les adeptes de la logique, le Modus barbara constitue la conclusion des conclusions.

Conclusion

Syllogisme

Modus barbara

Tous les hommes sont mortels

Socrate est un homme.

Donc Socrate est mortel.

EXPOSÉ

Aveuglé

… aveuglé par la colère … aveuglé par l'enthousiasme
… aveuglé par l'amour … aveuglé par le fanatisme
… aveuglé par la haine … aveuglé par la douleur
… aveuglé par la jalousie

Les conseils ne sont d'aucune utilité, ni les arguments, aussi bons soient-ils. Que veut dire en réalité «aveuglé»? L'argument exprimé et l'argument afférent constituent la substance de la pensée logique. «L'aveuglement» tue la logique.

Un des derniers mystères inexpliqués de l'âme humaine: pourquoi, génération après génération, celle-ci préfère-t-elle le chemin accidenté des émotions, les retours à la réalité si difficiles à supporter à la ligne droite infinie et fascinante de la pensée philosophique?

Peut-être parce que notre nostalgie de l'infini est si grande que nous préférons noyer notre pensée dans la finitude. Que ne ferait-on pas pour avoir devant soi quelque chose à quoi se rattacher?

Conclure: quelques réflexions

Conclure

En référence à une parabole biblique (d'après laquelle Dieu, en considérant la tour de Babel, aurait surestimé les capacités des hommes et aurait décidé, en rendant leur parole confuse, d'éliminer à jamais leur concurrence spirituelle), on serait en droit de dire que Dieu n'a pas tant troublé leur parole que leurs conclusions.

L'homme était sans logique. Chacun voulait dire autre chose, et plus personne ne comprenait ce que l'autre voulait dire. Chacun se détournait, et ne parlait plus que dans le vide. Depuis ce temps, l'homme a des difficultés à tirer des conclusions logiques. Pourquoi?

L'âme est à la source des confusions. L'esprit qui veut conclure se trouve dans un environnement hostile d'émotions. Klager a dit que l'esprit était l'ennemi de l'âme, et a pris parti pour l'âme. L'âme est l'ennemie de l'esprit dès lors qu'on prend parti pour l'esprit pensant. La *chair* est faible. Elle est soumise à toutes les falsifications de la vérité. Elle se met dans la lumière de l'esprit et la lui vole. Les tendances à la falsification sont responsables des conclusions erronées. Soit, elles pervertissent déjà les prémisses, soit, elles accroissent la difficulté d'analyse des faits et des rapports exacts qui sont contenus dans une déclaration ou une affirmation. Ces tendances à la falsification (il y en a souvent plusieurs à l'œuvre en même temps) provoquent le «sentiment» de la validité (de l'exactitude) d'une conclusion. Généralement, ce «sentiment de validité» fait obstacle à la véritable validité née de la logique. Dans ce qui suit, nous allons énumérer quelques-unes des tendances à la falsification les plus courantes.

«Je ne suis pas ignorant
du degré de sournoiserie
qui habite le cœur humain,
de la facilité avec laquelle
on peut se mentir à soi-même.»

KIERKEGAARD

Tendances à la falsification

• L'homme a tendance à ne pas prendre le mot «quelques» au sens propre du terme.

Pour la logique, «quelques» signifie «au moins quelques» (sens positif, inclusif: «quelques» et «peut-être tous»).

Dans le langage courant, «quelques» a plutôt le sens de «pas tous» (sens négatif, exclusif: «quelques» et «seulement quelques».

• L'homme a tendance à tirer d'un ensemble de prémisses affirmatives des conclusions affirmatives (Graumann 1969).

Jugement affirmatif: «est», «sont». Jugement affirmatif négatif: «n'est pas», «ne sont pas».

Un ensemble de prémisses marqué par «est» conduit à une conclusion marquée elle aussi par «est». Cette tendance peut s'expliquer de manière morpho-psychologique, mais aussi par l'effet concourant qu'ont les facteurs d'illusion (comme les illusions d'optique): dans la perception, la partie ne s'oriente pas vers elle-même, mais vers le tout. Cette «impression du tout» d'une partie prend plus d'importance que l'impression de la partie proprement dite.

• L'homme a tendance, à partir d'un ensemble de prémisses universelles, à vouloir tirer des conclusions universelles.

Jugement universel: «tous sont». Jugement individuel: «quelques... sont».

Un ensemble de prémisses marqué par «tous sont» conduit, comme c'est le cas pour un ensemble affirmatif, à une conclusion marquée par «tous sont».

On trouve l'explication de cette tendance dans l'éducation de l'homme, apprentissage de la généralisation et de l'universalisation. Formellement, la lutte pour la survie le conduit à l'universalisation. On peut donc comprendre qu'avec le temps, la manière dont il pense s'en imprègne elle aussi.

Vous connaissez sans doute cela :

*Notre équipe a remporté
une sensationnelle
et extraordinaire 2ᵉ place.
L'équipe adverse a dû se contenter
d'une minable avant-dernière place.*

(Il n'y avait que deux équipes)

La satisfaction d'un besoin est ressentie comme une conséquence agréable. On recherche les conclusions qui sont les conséquences les plus agréables possibles de ce qu'on désire.

• L'homme a tendance à tirer des conclusions dont le caractère se rapporte à son humeur du moment.

Une humeur excellente amène des conclusions universelles, une humeur sombre des conclusions individuelles.

Les «dispositions de sentiments» modifient non seulement le comportement de l'homme, mais aussi sa perception de la réalité et le processus de son intellect. Les sentiments de haine, par exemple, conduisent les personnes haineuses à des conclusions négatives.

• L'homme a tendance à choisir ses conclusions en fonction des risques qu'il est prêt à prendre.

Les gens prudents et précautionneux préfèrent tirer des conclusions «faibles» plutôt qu'«osées».

Les jugements universels sont des jugements «osés». Manifestement, celui qui n'aime pas le risque se réfugiera volontiers, par crainte de l'erreur ou de l'échec, derrière des propos réducteurs.

• L'homme a tendance à tirer des conclusions satisfaisant ses besoins du moment.

En observant la manière de percevoir les choses dans la société, on voit clairement comment les besoins dirigent les processus de la perception et de la pensée. Un exemple : les enfants mal nourris confondent plus souvent que les autres les grosses pièces de monnaie et celles qui ont plus de valeur.

• L'homme a tendance à tirer des conclusions qui paraissent être dans la lignée des expériences qu'il a déjà faites. Il a l'impression que des conclusions conformes à ses habitudes sont plus «vraies» que celles qui tiennent compte de faits inhabituels ou ne correspondant pas à son expérience.

«Ce qui a toujours existé existera toujours.»

On dira d'un élève qui ne «suit» pas qu'il est idiot. On sait par l'expérience que les idiots ne «suivent» pas à l'école. Le jugement «idiot» vient confirmer cette expérience. On oublie ainsi toute l'importance que peut avoir ce qui n'est pas su (n'a pas été appris) :

Psycho-syllogisme

(D'après LAING)

Lequel de ces jeunes gens
sympathiques et polis
voudrait débarrasser
cette dame de son manteau?

Je ne l'en débarrasse pas.
Je ne suis donc pas sympathique.

l'élève n'est pas idiot, peut-être uniquement perturbé, ou peu motivé pour apprendre, ou encore malentendant.

• L'homme a tendance à transposer les thèmes du champ de la logique vers celui de ses conclusions.

La démarche à suivre pour arriver à tirer une conclusion logique influence de manière sélective à la fois les décisions finales et le jugement conceptuel et analytique des prémisses.

Tout ce qui est thématisé dans le sens de cette démarche est conçu plus rapidement que le reste. Le non thématisé, lui, échappe à l'attention.

Donnons par exemple à juger le portrait d'un même individu à deux groupes de personnes indépendants l'un de l'autre ; celui auquel on annonce qu'il s'agit d'un assassin s'en fera une idée bien plus mauvaise que celui auquel on dit qu'il s'agit d'un scientifique.

• L'homme a tendance à mieux accepter des conclusions qui vont dans le sens d'un but qu'il s'était fixé.

Ces buts déterminent la pensée et le comportement (ce qu'on appelle des tendances déterminantes).

Cette détermination par le but fixé décide de l'interprétation des faits et des observations contenus dans les prémisses, d'une telle façon que les conclusions tirées à partir de ces prémisses coïncident exactement avec la réalisation du but en question.

• L'homme a tendance à préférer des conclusions qui paraissent «réussies», «belles» ou «bonnes». C'est la morpho-psychologie qui a découvert cette tendance à préférer les formes «bonnes». Dans le domaine de la conclusion, une «bonne» forme serait par exemple une proposition bien formulée, quelque chose de facile à percevoir, de flatteur pour le regard, d'artistique, de peu problématique, de facile à comprendre, etc. L'homme préfère une conclusion belle mais fausse à une conclusion vraie mais laide.

• L'homme a tendance à rechercher des conclusions compatibles avec les idées, les jugements, les points de vue préconçus qu'il a. La conclusion n'est alors re-

EXPOSÉ

Refus de la logique

Prétendre qu'une courbe en cloche est la meilleure représentation de la réalité de la nature humaine est lourd de conséquences. Il n'y a rien à redire pour celui qui est au sommet de la courbe, parce qu'il est plus intelligent, plus beau, meilleur que 80, 90, voire 95 % de l'humanité. Mais qu'en est-il pour ceux qui sont à l'autre extrémité de cette répartition? C'est un fait que pour 40, 30, 20, etc., pour cent des gens, 60, 70, 80, etc., pour cent des autres sont meilleurs, plus intelligents, plus beaux.

Pour ceux qui sont vraiment au plus bas de la courbe, envisager un destin favorable n'est même pas possible. Mais qu'en est-il de la moyenne, qui elle est parfaitement capable de reconnaître ce qui est meilleur? Comment s'en «sortir» avec un tel état des choses, sans devenir fataliste, sans se résigner?

C'est là que commence la révolte. Une révolte tragique, parce que beaucoup y perdent la reconnaissance de leur propre réalité. Le premier acte contient d'emblée une négation, cette proposition fatale: «Ne pas vouloir convenir de...!» Ce dont on ne veut pas convenir, on refuse en même temps de le voir. La connaissance est bloquée, sélectionnée, handicapée. Il y a refus. La psychologie connaît toute une série de mécanismes de refus qui canalisent le cours de la vie humaine vers l'auto-aliénation.

Refus de la réalité = fuite devant la réalité. C'est là qu'est le vrai danger. Dans le refus, je n'agis en fait pas uniquement contre moi-même. J'agis nécessairement aussi contre toi. Et tu n'agis pas uniquement contre toi-même, mais nécessairement aussi contre moi. Et lorsque nous n'agissons pas pour nous, mais contre nous, cela s'appelle de l'intolérance. Par le refus, par l'intolérance, nous mettons des fers à notre pensée logique.

Nous bâillonnons et assujettissons, là où il y avait la liberté, et où elle pourrait encore être.

La fuite devant la réalité s'arrête avec la méconnaissance de la réalité. Un peu, d'abord, puis de plus en plus, on se fait des idées. La réalité n'a plus droit de cité. On construit sa propre image, une image idéale.

connue que si elle correspond à cette «self fulfilling prophecy»: «Je m'étais bien dit que...», «Il me semblait évident dès le départ que...», «Cela devait finir par arriver...», «Il ne pouvait pas en être autrement...». L'homme est plus sensibilisé à des jugements qui sont conformes à sa vision des choses; ce sont ceux-là qu'il tient pour vrais, pas les autres.

• L'homme a tendance à tirer des conclusions selon les rapports qu'il établit arbitrairement entre les choses et l'interprétation qu'il en a.

Il accepte plus facilement les conclusions qui viennent confirmer l'idée qu'il se fait de la causalité et de la finalité. «Il faut bien qu'il y ait une raison à...», «C'est impossible, cela ne doit pas exister...», «Il faut qu'il en soit ainsi pour que...», «C'est comme ça, parce que je ne peux pas me l'imaginer autrement...», «C'est comme ça parce que cela a toujours été comme ça...», «Cela a toujours bien marché comme ça, alors pourquoi changer...», «Ce ne sont pas des choses pour toi...», «Quand on est raisonnable, on ne fait pas ça...», «Pareille chose serait au-dessus de tes forces...», «On est tous embarqués dans la même galère...», «Je n'arrive tout simplement pas à y croire...», «C'est écrit comme cela...», «Je n'arrive pas à me l'expliquer, mais quand même...», «Tu te couvrirais de ridicule en...», «C'est moi qui ai le plus d'expérience, alors...», «Tu ne peux pas comprendre cela, parce que...», «N'a de l'importance que ce qui...», «J'ai décidé que...», etc.

• L'homme a tendance à préférer des conclusions qui stabilisent sa personnalité psycho-névrotique.

L'homme traite toutes les informations et toutes les décisions, consciemment ou inconsciemment, de telle manière qu'elles ne constituent pas une menace pour son équilibre, élaboré avec toutes sortes de béquilles. Il recherche des conclusions qui renforcent ses mécanismes de défense.

L'homme préfère les conclusions; qui servent au masque derrière lequel il se cache; qui lui permettent de projeter ses conflits et ses problèmes sur les autres, qui

l'aident à se débarrasser de ses faiblesses en les rationa-
lisant; qui justifient ses sentiments de haine; qui exer-
cent un contrôle sur ses processus d'identification par le
biais d'idéaux et de mondes artificiels; qui lui permettent de ne pas tenir compte de ses retours en enfance;
qui favorisent son culte du «moi» par le rabaissement
des autres; qui confirment à quel point il est, lui, un
homme important lorsqu'il conclut quelque chose.
• L'homme a tendance à choisir des conclusions qui
diminuent ses angoisses et sa peur face à la vie.

L'angoisse et le stress qui en résultent sont une
menace pour la pensée établie: «Si vous faites cela,
alors...», «Essayez un peu de faire cela, et...», «Il ne
vous reste plus qu'à faire cela, et...», «Si vous ne faites
pas cela, alors là...».
• Enfin, une dernière tendance, et qui n'est pas la
moindre: l'homme prend à son compte les conclusions
de *tout le monde*, celles de la *majorité*.

L'homme tire les conclusions qui ne le différencient
pas des autres et de la société. «C'est l'usage, parce
que...», «Que diraient les gens si...», «Cela ne se fait
pas, donc...».

Aphorismes 8

Les groupes autodidactes sont les nids du renoncement.

L'authenticité d'une personnalité est inversement proportionnelle à son degré de superstition.

L'astrologie, les biorythmes, etc. sont des emballages tape à l'œil de contenus nuls.

La vraie croyance ne pousse que sur sur sol de la vraie sexualité.

La plupart des gens qui pensent que les choses ne peuvent plus avancer se sont heurtés à leur propre mur.

Agitation 6

Observez la figure suivante :

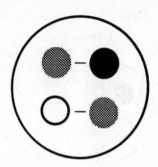

Voici la signification des symboles de ce cercle combinatoire :

Un cercle plein signifie «tous»
Un demi-cercle signifie «quelques»
Un trait d'union simple signifie «sont»
Une double flèche signifie «ne sont pas»

Dans le cercle ci-dessus, il y a deux propositions, à savoir :

> Tous les gris sont noirs
> tous les cercles blancs sont gris

Si on considère que ces deux propositions sont exactes, on peut en tirer une conclusion logique.

Quelle est cette conclusion logique ?

> Si tous les gris sont noirs et si tous les blancs sont gris, alors :
> Tous les blancs sont noirs.

«Tous les blancs sont noirs» est donc la conclusion exacte.

1er TOUR

Quelle est la conclusion logique qui s'impose?

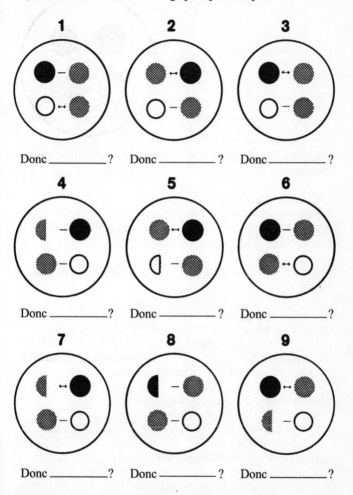

Donc _____ ?   Donc _____ ?   Donc _____ ?

Donc _____ ?   Donc _____ ?   Donc _____ ?

Donc _____ ?   Donc _____ ?   Donc _____ ?

Tourner S.V.P.

2e TOUR

Quelle est la conclusion qui s'impose?

1.
| Aucun Z n'est O |
| Quelques O sont E |

Donc _____ ?

5.
| Quelques K sont M |
| Tous les K sont L |

Donc _____ ?

2.
| Tous les Q sont S |
| Aucun S n'est R |

Donc _____ ?

6.
| Quelques W sont Y |
| Tous les Y sont X |

Donc _____ ?

3.
| Aucun G n'est I |
| Tous les H sont I |

Donc _____ ?

7.
| Quelques T ne sont pas V |
| Tous les T sont U |

Donc _____ ?

4.
| Tous les A sont C |
| Aucun B n'est C |

Donc _____ ?

8.
| Aucun D n'est F |
| Tous les E sont D |

Donc _____ ?

9.
| Aucun N n'est P |
| Quelques O sont N |

Donc _____ ?

Solution page 146

EXPOSÉ

Tactique de manipulation de la vérité

Dans cet exposé, on montrera, à l'aide de quelques exemples significatifs, comment exploiter à son profit les défauts de pensée des autres (dus à un manque de logique).

Il est particulièrement important à cet endroit de savoir que les gens qui pensent mal sont les plus réceptifs aux faux arguments. C'est pour l'«attaquant» un soulagement précieux : pour convaincre, il n'est même pas besoin d'argumenter avec justesse (ce qui serait loin d'être facile sans entraînement). Les faux arguments suffisent. Au contraire même, les gens qui ne peuvent pas penser logiquement demandent des faux arguments. Car en règle générale, ils tiennent les vrais arguments pour des faux, et vice versa. La tactique de manipulation de la vérité n'en devient que plus facile. D'ailleurs, qui aurait envie de se creuser la tête pour la vérité ?

Les politiciens, les curés, les procureurs de la République et tous ceux qui ont quelque chose à cacher, les supérieurs hiérarchiques et les gens qui se battent devant les tribunaux, les innocents et les gens qui cherchent le conflit avec leur partenaire, bref, tous ceux qui veulent en «remontrer» à quelqu'un ou auxquels on veut en remontrer trouveront dans cet exposé des réponses aux questions qu'ils se posent.

La première mise en pratique de ce genre d'argumentation remonte au Moyen Âge, pendant la chasse aux sorcières. Au départ, on trouve cette supposition dialectique de la «dualité de la thèse et de l'antithèse», séparant les réalités du monde suivant le schéma ambivalent «bon» et «mauvais».

Au Moyen Âge, «l'épreuve de vérité», ou «jugement de Dieu», consistait à jeter à l'eau, pieds et poings liés, celles qu'on soupçonnait d'être des sorcières. Si elles coulaient, c'est qu'elles étaient innocentes, parce qu'aucune force surnaturelle ne leur venait en aide. Si elles surnageaient, c'était la preuve de leur culpabilité, parce qu'un tel phénomène était contraire aux lois de la physique. Dans les deux cas, c'est la mort qui attendait ces malheureuses. De nos jours, la chasse aux sorcières s'est transformée en exercice dialectique verbal. Attaquez l'autre sans vous gêner. Ne vous préoccupez en aucun cas de la vérité. Elle n'est pas juste. Ce qui est juste, c'est que votre accusation puisse contenir quelque chose de plausible. Tenez-vous-en à cette règle d'or : plus une affirmation est fausse, plus on l'exprime haut et fort, plus elle paraît plausible (plus les auditeurs voient leurs préjugés confirmés), et plus vous pouvez être sûr(e) de votre succès.

Attendez sans crainte les éventuelles réactions de l'autre. Si la personne que vous attaquez se tait, parce qu'elle est touchée par votre propos ou parce qu'elle se refuse à répondre à vos calomnies, alors la chose sera claire : quand on se tait, c'est qu'on semble admettre sa faute, et donc qu'on la reconnaît.

Si, contre toute attente, la personne attaquée se met à se défendre contre vos accusations non fondées, la chose n'en est pas moins claire : quand un animal est blessé, il mord. Quand on cherche à se défendre avec véhémence, c'est qu'on est coupable. Il n'y a pas d'autre alternative.

On peut appliquer la méthode qu'on vient de citer d'une manière plus simple. En exploitant le fait que les gens ne se laissent jamais facilement convaincre du contraire de quelque chose. Ne vous donnez pas la peine d'attaquer directement votre adversaire. Contentez-vous de faire courir quelques bruits à son sujet. Il en restera toujours quelque chose dans l'esprit des autres. Même si cela peut paraître peu de choses au début, cela n'en servira pas moins vos projets. Le doute : il rongera, et travaillera pour vous. Mais c'est, bien sûr, à vous de veiller à ce que vos affirmations soient plausibles et vraisemblables.

La raison pour laquelle les gens (illogiques) se laisseront si facilement fasciner par le côté plausible de vos paroles est simple : rares sont les personnes qui ont envie de vérifier ce qu'elles entendent ou lisent, soit parce qu'elles n'en sont pas capables, soit par paresse. Ce qui compte pour vous, c'est que cette particularité serve vos intérêts. La majorité aura vite fait de s'approprier ce que vous proclamez haut et fort. Quant à la minorité qui se donnera la peine de vérifier vos dires, ne vous en faites donc pas pour si peu ! La majorité, c'est le droit du plus fort, elle ne prendra pas en compte d'éventuelles objections ; elle les refusera, tout simplement. Souvenez-vous de l'exposé «concepts implicites». Une méthode particulièrement intelligente : faites des implications d'une façon subtile et habile. On vous prendra pour un fin diplomate, parce que les gens qui donnent l'impression de bien réfléchir et de parler peu sont pris pour tels.

Pour troubler et déstabiliser votre adversaire (ce qui peut être plein d'effet), procédez de la manière suivante : la dialectique, c'est la simultanéité des avantages et des défauts ; quelle que soit la chose que vous considérez, vous y trouverez toujours un avantage et un défaut correspondant. Et comme votre adversaire n'aura eu le temps que de considérer un seul de ces deux aspects, vous pouvez toujours lui reprocher de ne voir que le «mauvais côté» des choses (les défauts). Avec cette méthode, vous êtes sûr(e) de venir à bout de n'importe quelle conviction solide.

Une des méthodes, et ce n'est pas la moindre, des maîtres de la dialectique est de sortir du sujet (mais sans pour autant dire des mensonges) en maniant l'aspect relatif et absolu d'une proposition. Si on argumente quelque chose en faisant des comparaisons relatives, on ne dit jamais rien de faux, mais comme on ne fait pas référence à l'aspect absolu de la question, on ne dit rien de vrai non plus.

On pourrait développer ce thème encore plus. Cela ferait sûrement le sujet d'un nouveau livre.

Quelle est la conclusion logique qui s'impose?

1.
| Quelques zot sont mat |
| Tous les mat sont ril |

Donc ——————— ?

6.
| Aucun flo n'est mot |
| Quelques nul sont flo |

Donc ——————— ?

2.
| Aucun fus n'est gol |
| Tous les tra sont gol |

Donc ——————— ?

7.
| Aucun xit n'est zip |
| Tous les wum sont xit |

Donc ——————— ?

3.
| Quelques lid sont urz |
| Tous les lid sont tus |

Donc ——————— ?

8.
| Quelques yai sont top |
| Tous les top sont stu |

Donc ——————— ?

4.
| Tous les kri sont sol |
| Aucun sol n'est ott |

Donc ——————— ?

9.
| Aucun ass n'est dum |
| Quelques dum sont raf |

Donc ——————— ?

5.
| Tous les guf sont ast |
| Aucun lol n'est ast |

Donc ——————— ?

**Fin de l'agitation
Solution page 146.**

Faites de la philosophie,
pas la guerre!...

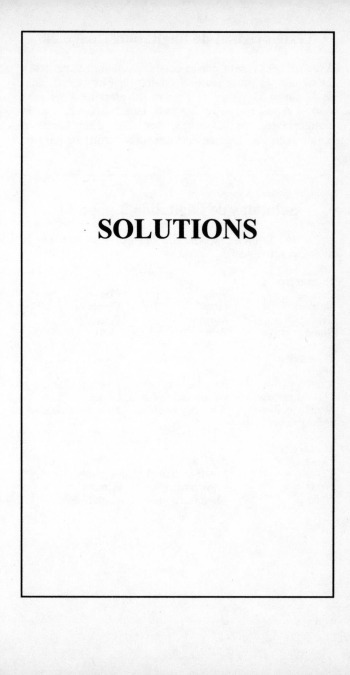

SOLUTIONS

Texte original de l'agitation 1 page 20

Avec un seul joueur classé parmi les quarante meilleurs du monde, la présence de l'équipe de France en finale de la coupe Davis peut, a priori, surprendre. Pour parvenir à ce stade après avoir battu Israël, l'Australie et la Yougoslavie, elle a, certes, bénéficié d'un coup de pouce avec un tirage au sort qui lui a permis de gagner.

Solutions de l'agitation 2 page 54

La série d'objets se classifie et se structure de la manière suivante:

1er exercice

Couleur	Taille	Forme
Noir	Grand	Cercle
Gris	Moyen	Triangle
Blanc	Petit	Carré

2e exercice

Motif	Lanière	Position
Motif à points	Sans lanière	Posé sur chant
Motif à carreaux	Avec une lanière	Couché
Motif à points et à carreaux	Avec deux lanières	Posé normalement

3e exercice

Heure	Modèle	Cadran
12.00	Montre à bracelet	A points
16.00	Chronomètre	A traits
20.00	Montre à gousset	A chiffres

Solution de l'agitation 5 page 92

Correspondent aux exemples donnés :

1 C	7 C	13 D
2 D	8 C	14 D
3 C	9 C	15 A
4 B	10 B	16 D
5 C	11 A	17 D
6 B	12 B	18 C

Solution de l'agitation 6 page 135

1ᵉʳ tour

1 Aucun blanc n'est noir
2 Aucun blanc n'est noir
3 Aucun blanc n'est noir
4 Quelques blancs sont noirs
5 Quelques blancs ne sont pas noirs
6 Aucun blanc n'est noir
7 Quelques blancs ne sont pas noirs
8 Quelques blancs sont noirs
9 Quelques blancs ne sont pas noirs

2ᵉ tour

1 Quelques E ne sont pas Z
2 Aucun R n'est Q
3 Aucun H n'est G
4 Aucun B n'est A
5 Quelques L sont M
6 Quelques X sont W
7 Quelques U ne sont pas V
8 Aucun E n'est F
9 Quelques O ne sont pas P

3ᵉ tour

1 Quelques ril sont zot
2 Aucun tra n'est fus
3 Quelques tus sont urz
4 Aucun ott n'est kri
5 Aucun lol n'est guf
6 Quelques nul ne sont pas mot
7 Aucun wum n'est zip
8 Quelques stu sont yai
9 Quelques raf ne sont pas ass

Au catalogue
Marabout

Culture générale

100 livres en un seul
M. Arnould - J.-F. Coremans.......... 8504   46 FF
50 grandes citations philosophiques expliquées
A. Amiel 8508   46 FF
50 modèles de dissertations
A. Amancy - Th. Ventura 8002   46 FF
50 modèles de dissertations philosophiques
H. Boillot 8022   50 FF
50 modèles de rédactions
L. Marc - J. Vaal 8047   48 FF
50 modèles de résumés de textes
G. Clerc.............................. 8001   46 FF
50 mots clés de la culture générale comptemporaine
Ph. Forest 8506   50 FF
Comment acquérir une bonne culture générale
N. Gardin 8562   39 FF
Dictionnaire culturel de la Bible
.... 8549   46 FF
Grand dictionnaire de culture générale
B. Hongre - Ph Forest -
B. Baritaud........................... HC   105 FF
Grand dictionnaire des symboles et des mythes
N. Julien .... HC   99 FF
Grand livre des citations expliquées (Le)
P. Désalmand - Ph. Forest............. HC   125 FF

Histoire

Cathares (Les)
R. Nelli....................................9804 37 FF
Histoire de la France
P. Miquel...................................9809 61 FF
**Histoire - Tome 1 - Rome et
le Moyen Age (L')**
Malet et Isaac ....9805 37 FF
**Histoire - Tome 2 -
L'Age classique (L')**
Malet et Isaac ....9806 37 FF
**Histoire - Tome 3 -
Les Révolutions (L')**
Malet et Isaac ....9807 37 FF
**Histoire - Tome 4 -
La naissance du Monde moderne (L')**
Malet et Isaac ....9808 37 FF

Littérature

Contes fantastiques complets
G. de Maupassant ....9001 37 FF
Dracula
B. Stoker..................................9000 39 FF

Lecture fléchée

Confessions (Les)
Rousseau...................................9528 34 FF

Dictionnaires

Dictionnaire de la mythologie
M. Grant - J. Hazel..................... 7001   39 FF
Dictionnaire des citations du monde entier (Le)
K. Petit............................... 7000   46 FF
Dictionnaire des dictons
A. Pierron............................ 7007   48 FF
Dictionnaire des expressions populaires
A. Pierron............................ HC   99 FF
Dictionnaire des proverbes
A. Pierron............................ 7008   43 FF
Dictionnaire des synonymes
G. Younes............................ 7002   46 FF

Psychologie

IMPRIMÉ EN FRANCE PAR BRODARD ET TAUPIN
1872X - La Flèche (Sarthe), le 26-01-2000.

pour le compte des
Nouvelles Éditions Marabout
D.L. février 2000/0099/038
ISBN : 2-501-03265-9